LE FRANCAIS PRATIQUE

D1169135

Paulette ROY

Gabrielle GARCIN

French Institute /
Alliance Francaise

DESSINS DE MARJORIE MORTENSON

I

PAULETTE ROY
215 West 78th St.
NEW YORK 10024, N.Y.

© 1965, 1972 by Paulette Roy and Gabrielle Garcin

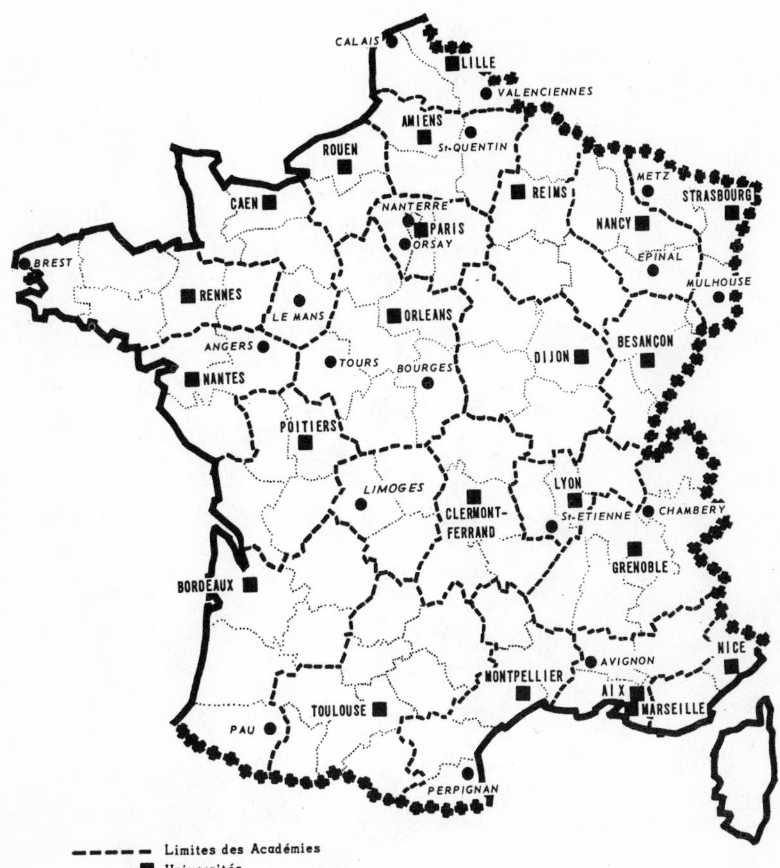

CALAIS
LILLE
VALENCIENNES
AMIENS
St-QUENTIN
ROUEN
CAEN
METZ
STRASBOURG
REIMS
NANTERRE
PARIS
ORSAY
NANCY
BREST
EPINAL
MULHOUSE
RENNES
LE MANS
ORLEANS
ANGERS
BESANCON
DIJON
TOURS
BOURGES
NANTES
POITIERS
LYON
LIMOGES
CLERMONT-FERRAND
St-ETIENNE
CHAMBERY
GRENOBLE
BORDEAUX
NICE
AVIGNON
MONTPELLIER
AIX
MARSEILLE
TOULOUSE
PAU
PERPIGNAN
Limites des Académies
Universités
Autres Centres d'Enseignement Supérieur

Carte de Paris

PREFACE

Dans cet ouvrage, fruit d'une longue expérience pédagogique, Mmes. Paulette Roy et Gabrielle Garcin ont systématiquement appliqué le principe de Charles Bruneau, cité en épigraphe: "Apprendre une langue étrangère, c'est créer en soi un automatisme nouveau".

La méthode part d'un principe d'économie fort simple — la récupération des connaissances passives. 60% des mots sont communs à l'anglais et au français. Il n'y a donc pas à les apprendre, mais seulement à les connaître. Le débutant se trouve ainsi à la tête d'un petit capital insoupçonné. La conversation est possible immédiatement, et le plaisir de s'y essayer l'emporte sur l'appréhension.

Comme il vaut mieux prévenir que guérir, les auteurs du **Français pratique** accordent à la prononciation un soin tout particulier. Elles multiplient les exercices d'audition, d'élocution et de lecture, tous judicieusement choisis et gradués. Des signes très clairs soulignent les particularités de la langue parlée — liaisons, élisions coulantes, intonation, rythme, accentuation de la phrase. Les étudiants n'apprendront jamais trop tôt qu'on ne dit pas **cinque** francs **houite** centimes. Les groupements phonétiques leur seront d'emblée familiers et ils n'imiteront pas ce jeune étranger qui, entendant son partenaire au tennis lui crier "Allez-y!" s'arrêta pile: il avait bien compris **allez** mais pas **zy**.

Le **Français pratique** insiste beaucoup plus sur l'acquisition de bons réflexes que sur la connaissance théorique de la grammaire. Celle-ci n'est d'ailleurs pas négligée.

Mais ce qui est plus important pour le débutant que la grammaire théorique, c'est la connaissance de ces innombrables particularités qu'aucune grammaire n'enseigne et qui peuvent rendre une phrase inintelligible aux étrangers. Savoir que: **je prends le train à Paris** ne veut pas dire: I take the train to Paris; que **il a beau faire** n'est pas: **he does it beautifully** — voilà ce que les débutants auraient du mal à découvrir par eux-mêmes. Et combien d'entre eux comprendraient cette magnifique cascade d'idiotismes: **"Sous la Troisième, j'habitais au sixième dans le dix-huitième"**?

L'acquisition du vocabulaire fait l'objet de soins attentifs. Deux principes ont présidé au choix des exercices à cet effet. Le premier, c'est que les mots se retiennent mieux dans un contexte. Le second, c'est qu'il faut toujours commencer par le connu et le familier. L'art d'enseigner le vocabulaire consiste donc à partir d'un contexte connu que l'on modifie insensiblement en y introduisant des mots nouveaux et des tournures nouvelles.

Les textes du **Français pratique** ne manquent ni de fantaisie ni d'humour. Quelques vieilles anecdotes d'un effet sûr, comme celle du portefaix qui mange son pain à la fumée du rôt, alternent avec des plaisanteries plus modernes, comme celle de l'Américain qui commande un "beer" et obtient ... un Byrrh. Les conversations, inspirées de la vie courante, sont écrites dans une langue alerte et surtout familière — celle que tout le monde parle et qu'il est si difficile aux étrangers de comprendre.

Les charmants dessins de Marjorie Mortenson illustrent avec verve les particularités de la langue. Le **Français Pratique** sera pour les enseignants un auxiliaire précieux et pour les élèves un bon stimulus.

Micheline Braun

Hunter College & Graduate Center
City University of New York

PREMIÈRE PARTIE

« C'est au début des études que les bonnes habitudes phonétiques s'acquièrent, et c'est à ce moment qu'elles sont les plus utiles ».

Pierre Léon

Première (1ère) Leçon

JE N'HABITE PAS À PARIS

1. - Paris est la capitale de la France.
2. - Washington est la capitale des‿États‿Unis.
3. - Bordeaux **n'**est **pas** la capitale de la France.
4. - Orléans **n'**est **pas** la capitale de la France.
5. - Marseille **non plus.**
6. - **Quelle**‿est la capitale de la France?
7. - La capitale de la France est Paris.
8. - Montréal **n'**est **pas** la capitale du Canada.
9. - Québec **n'**est **pas** la capitale du Canada.
10. - **Quelle**‿est la capitale du Canada?
11. - Ottawa est la capitale du Canada.
12. - Chicago **n'**est **pas** la capitale des‿États‿Unis.
13. - New York **n'**est **pas** la capitale des‿États-Unis.
14. - Boston **non plus.**
15. - **Quelle** est la capitale des États-Unis?
16. - Washington est la capitale des États-Unis.

Je n'habite pas‿**à** Paris

17. - **J'habite**‿à New York.
18. - Je **n'**habite **pas**‿à Paris.
19. - **Quelle**‿est votre‿adresse?
20. - Mon‿adresse‿est: Seize (16), Place de la République.
21. - **Je désire** visiter Paris.
22. - Je désire‿aussi visiter Québec.
23. - Je **ne** désire **pas** visiter Ottawa.
24. - **J'aime** dîner dans‿un restaurant français.
25. - Je **n'**aime **pas** dîner chez moi.
26. - J'aime les restaurants‿américains, mais **je préfère** les restaurants français.
27. - **Je répète** la leçon.
28. - Au revoir, Madame. Au revoir, Monsieur.

J'habite **à** New York

NOTE: The sign ‿ indicates the "Liaison"; it is written here only to help your pronunciation. It does not otherwise appear in French texts.
Ex.: For "des États-Unis", pronounce dézétazuni

LEÇON 1

LA NEGATION

Prononcez: je ne = jen — pas le = pal (1 syllabe).

Stress "pas"

Je visite.
Je ne visite pas
Je dîne.
Je ne dîne pas.
Je désire.
Je ....
Je répète.
Je ....
Je préfère.
Je ....
Je continue.
Je ....
Je signe.
Je ....

Stress "pas" up and the last word down.

Je visite le musée.
Je ne visite pas le musée.
Je dîne au restaurant.
Je ne dîne pas au restaurant.
Je désire voyager.
Je ....
Je répète la leçon.
Je ....
Je préfère le café.
Je ....
Je continue mon voyage.
Je ....
Je signe le document.
Je ....

ATTENTION! Before a vowel or an h:
Je becomes **j'**: J'habite = jabite.
Ne becomes **n'**: Je n'habite pas = Je nabite pas.

J'aime.
Je n'aime pas.
J'habite.
Je n'habite pas.
J'invite.
Je ....
J'arrive.
Je ....
J'accepte.
Je ....
J'approuve.
Je ....
J'admire.
Je ....

J'aime le café.
Je n'aime pas le café.
J'habite à New York.
Je n'habite pas à New York.
J'invite Alice à dîner.
Je ....
J'arrive à Paris.
Je ....
J'accepte l'invitation.
Je ....
J'approuve la décision.
Je ....
J'admire le succès.
Je ....

Mademoiselle	— **La** demoiselle	— **Une** demoiselle
Madame	— **La** dame	— **Une** dame
Monsieur	— **Le** monsieur	— **Un** monsieur

Je compte: Un (1), deux (2), trois (3), quatre (4), cinq (5), six (6), sept (7), huit (8), neuf (9), dix (10).

L'addition: 3 et 1 = 4, 7 et 2 = 9, 4 et 3 = 7, 2 et 3 = 5, 6 et 2 = 8, 4 et 2 = 6, 8 et 2 = 10, 5 et 4 = 9.

PRONONCIATION

A number of words are spelled the same way in English and in French but are pronounced differently; **they have the same form, but not the same sound.**

The words in the exercise below fall within this category; do not be misled by their spelling and concentrate on repeating carefully the sounds as you hear them. **ALWAYS STRESS THE LAST SYLLABLE.**

Exercice d'audition: Bearing in mind the French pronunciation of the letter "a", try to understand the following words as you hear them.

"a"		"-age" (suffixe masculin)	
La date	Le lac	Le gar**age**	Le cour**age**
La table	Le blâme	Le voy**age**	Le mari**age** (un r)
La salade	Le vase	Le pass**age**	Le bag**age** (un g)
La race	Capable	Le vill**age**	Le from**age**
La place	Brave	Le suffr**age**	Le lang**age**
La page	Pâle	Le mess**age**	Le dos**age**
La cape	Rare	Un avant**age**	Un hérit**age**

NOTE: "ai" is pronounced as in "pair".
Ex.: Français, j'aime.

LEÇON 1

LA QUESTION

Paris est la capitale de la France.
Est-ce que Paris est la capitale de la France?
Le train est rapide.
Est-ce que le train est rapide?
Le restaurant français est bon.
....?
La leçon est difficile.
....?
J'invite Alice à dîner.
....?
Je n'habite pas à Paris.
....?
La salade est bonne.
....?
L'avion n'est pas confortable.
....?
Le garage est grand.
....?
Paul est brave.
....?

SINGULIER		PLURIEL	
Masculin	**Féminin**	**Masculin et féminin**	
Le train	**La** table	**Les** trains	**Les** tables
	— Before vowels or "h" —		
L'avion	**L'**action	**Les** avions	**Les** actions

Deuxième (2ème) Leçon

AIMEZ-VOUS VOYAGER ?

1. - A Paris, **il y a** beaucoup de restaurants.
2. - **Il y a** aussi beaucoup de théâtres et de cinémas.
3. - **Il y a** beaucoup de grands magasins : Le Bon Marché, Le Printemps, les Galeries Lafayette,
4. - Dans les grands magasins il y a **des** robes, **des** tables, **des** bicyclettes, **des** livres,
5. - J'aime les grands magasins de Paris et de New York. Et vous, **aimez-vous** les grands magasins ?
6. - Oui, j'aime les grands magasins, mais je préfère les beaux musées de Paris.
7. - Moi aussi, j'aime les musées. J'aime aussi le théâtre, le cinéma, la télévision, la musique, etc...
8. - **Aimez-vous** aussi voyager ?
9. - Bien sûr, j'aime beaucoup voyager.
10. - **Préférez-vous** voyager en avion, en train ou en automobile ?
11. - L'avion est rapide mais dangereux. Je préfère le train ou le bateau.
12. - Dans les bateaux il y a **des** livres ; j'aime la lecture. Il y a **un** cinéma et j'aime le cinéma. Il y a aussi **un** orchestre, mais je n'aime pas la musique de jazz.
13. - Moi non plus, mais j'aime la cuisine et le vin qu'il y a sur les bateaux français.
14. - Moi, j'aime le thé qu'il y a sur les bateaux anglais et l'excellent café qu'il y a sur les bateaux américains.
15. - Moi aussi. Est-ce que vous voyagez beaucoup en bateau ?
16. - Non, je voyage en avion **parce que** c'est **plus rapide**.
17. - L'avion n'est pas **plus cher**.
18. - Le train n'est pas cher et il est plus rapide que l'autobus.
19. - Oui, mais **il n'y a pas** de train de New York à Paris.
20. - C'est pourquoi j'aime voyager en bateau.

NOTE : « au » is pronounced o
Ex : Le bateau, beau, le restaurant, Bordeaux, beaucoup, un autobus.

Comptez Un (1) .... **Dix** (10)

Continuez : Onze (11), douze (12), treize (13), quatorze (14), quinze (15), seize (16), dix-sept (17), dix-huit (18), dix-neuf (19), **vingt** (20).

— C'est pourquoi j'aime voyager **en** bateau.

— J'aime la lecture.

LA QUESTION: The final "s" of "**vous**" is silent before a consonant; before a vowel, pronounce "s" like "**z**" together with the following word.

Vous visitez.
Visitez-vous?
Vous dînez.
..................................?
Vous préférez.
..................................?
Vous répétez.
..................................?
Vous voyagez.
..................................?
Vous aimez.
..................................?
Vous acceptez.
..................................?
Vous arrivez.
..................................?
Vous approuvez.
..................................?
Vous invitez.
..................................?

Vous visitez le musée.
Visitez-vous le musée?
Vous dînez au restaurant.
..................................?
Vous préférez le café au lait.
..................................?
Vous répétez la leçon.
..................................?
Vous voyagez en bateau.
..................................?
Vous aimez la France.
..................................?
Vous acceptez l'invitation.
..................................?
Vous arrivez aux Etats-Unis.
..................................?
Vous approuvez la décision.
..................................?
Vous invitez votre cousine.
..................................?

LA NEGATION: — Pronounce **vous ne**: "**voun**" before a consonant.
— Stress **pas** up and last word down.

Vous visitez Paris.
Vous ne visitez pas Paris.
Vous désirez voyager.
Vous ....
Vous préférez le café.
Vous ....
Vous répétez la leçon.
Vous ....
Vous voyagez en avion.
Vous ....
Vous signez la lettre.
Vous ....

Vous aimez le thé.
Vous n'aimez pas le thé.
Vous acceptez l'invitation.
Vous ....
Vous invitez votre cousine.
Vous ....
Vous arrivez aux Etats-Unis.
Vous ....
Vous approuvez la décision.
Vous ....
Vous habitez à Paris.
Vous ....

LEÇON 2

Exercice d'audition: In French, letters "i" and "y" are pronounced "e" as in "see".

Répétez:

La pipe	Le vice	L'exil	Je dîne
La bible	Le triomphe	L'empire	Je désire
La surprise	Le site	L'idéal	Je décide
La bicyclette	Le désir	L'itinéraire	J'analyse
La biologie	Le cidre	L'idéologie	J'admire
La variété	Le crime	La diagonale	J'arrive
La propriété	Le diamètre	Mineur	J'oblige
La minorité	Le domicile	Diabolique	J'autorise
La société	Le type	Dynamique	J'invite

Exercice de prononciation: Bearing in mind the French pronunciation of "a", "i" and "y", read the following words:

La cape, la fibre, la crise, la radio, la science, la flamme, la race, la priorité, la place, la violette, la cave, la décade, le nylon, le blâme, le silence, le climat, le pourcentage, la grâce, le rival, le mirage, le violon, le style, l'héritage, le sacrifice, le sinus, le dommage, le Christ, le pirate, le récital, le dialecte, rare, Ohio, pâle, final, Miami.

L'addition:

9 et 7 = 16,	8 et 6 = 14,	13 et 7 = 20,
6 et 5 = 11,	3 et 9 = 12,	12 et 4 = 16,
13 et 2 = 15,	16 et 3 = 19,	17 et 2 = 19.

La soustraction:

12 moins 3 = 9,	20 moins 7 = 13,
6 moins 2 = 4,	16 moins 4 = 12,
11 moins 5 = 6,	8 moins 6 = 2,
17 moins 6 = 11,	19 moins 3 = 16,
5 moins 2 = 3,	18 moins 4 = 14.

Exercice de conjugaison: Complétez:

Je regrette	Vous	J'aime	Vous ....
Je décide	Vous	J'accepte	Vous ....
Je change	Vous	J'invite	Vous ....
Je signe	Vous	J'arrive	Vous ....
Je continue	Vous	J'admire	Vous ....
Je proteste	Vous	J'excuse	Vous ....
Je visite	Vous	J'amuse	Vous ....
Je désire	Vous	J'autorise	Vous ....
Je dîne	Vous	J'habite	Vous ....
Je voyage	Vous	J'approuve	Vous ....

SINGULIER				PLURIEL			
Masculin		**Féminin**		**Masculin et Féminin**			
Un	train	**Une**	table	**Des**	trains	**Des**	tables
Un	avion	**Une**	action	**Des**	avions	**Des**	actions

L'Arc de **triomphe**

Troisième (3ème) Leçon

NOUS ALLONS EN VACANCES EN FRANCE

Nous **passons** de bonnes vacances.

1. - **Nous allons** passer nos vacances en France. Et vous?
2. - Nous, **nous n'allons pas** en France. **Nous allons** passer nos vacances au Canada.
3. - Allez-vous au Canada en avion ou en train?
4. - **Nous ne savons pas** encore, peut-être en avion. Et vous?
5. - **Nous allons** en France en bateau, c'est plus long, mais aussi plus agréable et plus amusant; **nous ne voyageons qu'**en bateau.
6. - Combien coûte le voyage en bateau?
7. - Je ne sais pas, mais je crois que l'avion n'est pas plus cher.
8. - Quel bateau prenez-vous?
9. - **Nous prenons** un bateau français.
10. - **Pourquoi** prenez-vous un bateau français?
11. - **Parce que** nous **n'**aimons **que** la cuisine française et parce que **nous parlons** français avec les garçons.
12. - **Nous allons** en France pour passer nos vacances, mais aussi pour apprendre le français agréablement.
13. - Allez-vous aussi visiter les musées et les autres monuments?
14. - Naturellement, **nous allons** visiter beaucoup de monuments.
15. - Mais il y a beaucoup de touristes dans les musées.
16. - En automne, **il n'y a pas** beaucoup de touristes.
17. - **Nous aimons** beaucoup l'automne.
18. - **Pourquoi** aimez-vous l'automne?
19. - **Parce qu'**en automne il y a beaucoup de fruits, de fleurs, etc...
20. - Quels fruits **y a-t-il** en automne?
21. - En automne, **il y a** des raisins, des prunes, des poires, des noix.
22. - Quels fruits aimez-vous?
23. - Je **n'**aime **que** les oranges et les poires; je n'aime pas les autres fruits.
24. - J'aime les belles couleurs **rouges** et **jaunes** des arbres en automne.
25. - L'automne est une très belle saison.

LES MOIS DE L'ANNÉE

JANVIER
Les Rois

FÉVRIER
La Chandeleur

MARS
La pluie

AVRIL
Le printemps

MAI
Le muguet

JUIN
La St-Jean

JUILLET
La Fête Nationale

AOÛT
Les vacances

SEPTEMBRE
La rentrée

OCTOBRE
Les vendanges

NOVEMBRE
Le Souvenir

DÉCEMBRE
Noël

LA QUESTION

The "s" of "nous" is silent before a consonant; pronounce it "z" before a vowel or "h".

Nous visitons Paris
Visitons-nous Paris ?
Nous savons l'anglais.
Savons-nous l'anglais ?
Nous voyageons en avion.
....?
Nous préférons le chocolat.
....?
Nous continuons notre voyage.
....?
Nous dînons chez nous.
....?
Nous aimons le café au lait.
....?
Nous acceptons l'invitation.
....?
Nous invitons notre cousine.
....?
Nous arrivons en France.
....?
Nous approuvons la décision.
....?
Nous habitons à New York.
....?

LA NEGATION

"nous ne" = "noun"
"pas le" = "pal"

Nous visitons Paris.
Nous ne visitons pas Paris.
Nous savons le français.
Nous ne savons pas le français.
Nous voyageons en avion.
Nous ....
Nous préférons le café.
Nous ....
Nous continuons notre voyage.
Nous ....
Nous dînons chez nous.
Nous ....
Nous aimons le café nature.
Nous ....
Nous acceptons l'invitation.
Nous ....
Nous invitons notre cousine.
Nous ....
Nous arrivons en France.
Nous ....
Nous approuvons le projet.
Nous ....
Nous habitons à Bordeaux.
Nous ....

NOTE: Répétez les questions aussi avec "est-ce que"

Remarquez:

La France	— en France		Le Canada	— au Canada
La Suisse	— en Suisse		Le Mexique	— au Mexique
New York	— à New York		Paris	— à Paris
Bordeaux	— à Bordeaux		Chicago	— à Chicago

LA COMPARAISON

MASCULIN

Le train est rapide,
l'avion est plus rapide.
Paris est grand,
New York est ....
Le cinéma est intéressant,
le théâtre est ....
L'autobus est cher,
l'avion est ....
Le français est facile,
l'anglais est ....
Le cidre est **bon,**
le vin est **meilleur.**

FEMININ

La bicyclette est rapide,
l'automobile est plus rapide.
La chambre est grande,
la **bibliothèque** est ....
L'histoire est intéressante,
la bible est ....
La **limonade** est chère,
la bière est ....
La multiplication est facile,
la soustraction est ....
La cigarette est **bonne,**
la pipe est **meilleure.**

L'ACCENT AIGU: **The accent aigu (´) is placed only on the letter "e"; it modifies its pronunciation to a sound similar to that of the English "a" (as in "date"). It cannot precede a mute syllable. Placed on the first syllable of a word, it often replaces an "s": épouse — spouse.**

Répétez:

Une éponge
Une épice
Une étole
Une étable
La détresse
La beauté
Une humidité

Un étranger
Un étudiant
Un état
Le dédain
Le désastre
Les épinards
Le désavantage

étrange
écarlate
étrangler
épeler
échapper
découragé
débourser

LEÇON 3

Exercice de conjugaison:

a) **Complétez et répétez:**

Je visite	Nous visit**ons**	J'aime	Nous aim**ons**
Je dîne	Nous	J'accepte	Nous ....
Je signe	Nous	J'invite	Nous ....
Je compare	Nous	J'arrive	Nous ....
Je continue	Nous	J'habite	Nous ....
Je regrette	Nous	J'admire	Nous ....
Je décide	Nous	J'approuve	Nous ....
Je proteste	Nous	J'excuse	Nous ....

b) **Complétez négativement et répétez:**

Je visit**e**	Nous visit**ons**	Vous visit**ez**
Je ne visit**e** pas	Nous ne visit**ons** pas	Vous ne visit**ez** pas
Je sign**e**	Nous sign**ons**	Vous sign**ez**
Je	Nous	Vous ....
Je dîn**e**	Nous dîn**ons**	Vous dîn**ez**
Je	Nous	Vous ....
Je compar**e**	Nous compar**ons**	Vous compar**ez**
Je	Nous	Vous ....
Je regrett**e**	Nous regrett**ons**	Vous regrett**ez**
Je	Nous	Vous ....
Je décid**e**	Nous décid**ons**	Vous décid**ez**
Je	Nous	Vous ....
J' accept**e**	Nous accept**ons**	Vous accept**ez**
Je	Nous	Vous ....
J' approuv**e**	Nous approuv**ons**	Vous approuv**ez**
Je	Nous	Vous ....
J' admir**e**	Nous admir**ons**	Vous admir**ez**
Je	Nous	Vous ....

COMPTONS de un à vingt

Continuons: vingt **et** un (21), vingt-deux (22), vingt-trois (23), vingt-quatre (24), vingt-cinq (25), vingt-six (26), vingt-sept (27), vingt-huit (28), vingt-neuf (29), trente (30).

Faites des additions et des soustractions.

Quatrième (4ème) Leçon

SAVEZ-VOUS COMBIEN?

1. - Mon appartement est à New York, j'habite à New York.
2. - Notre appartement n'est pas à Paris. Nous n'habitons pas à Paris.
3. - Nous préférons habiter à New York. Et vous, que préférez-vous?
4. - Moi, je préfère habiter une grande ville.
5. - Pourquoi préférez-vous habiter une grande ville?
6. - Parce que dans une grande ville il y a beaucoup de théâtres, de bons restaurants, de beaux cinémas, etc...
7. - Mais il y a aussi beaucoup d'habitants et beaucoup de voitures dans une grande ville.
8. - **Combien d**'habitants y a-t-il à Paris?

Il **ne** parle **que** Français

9. - A Paris, il y a quatre millions d'habitants.
10. - New York est une plus grande ville que Paris.
11. - **Combien d**'habitants y a-t-il à New York?
12. - A New York il y a neuf millions d'habitants.
13. - **Combien d**'habitants y a-t-il à Marseille?
14. - Un million? Un million et demi? **Je ne sais pas** exactement.
15. - Et vous? **Savez-vous**?
16. - Non, **je ne sais pas non plus**.
17. - **Combien de** pièces y a-t-il dans votre appartement?
18. - Dans mon appartement, il y a huit pièces. C'est un grand appartement.
19. - Moi, j'ai un petit appartement; il **n**'a **que** deux (2) pièces.
20. - Quand nous voyageons, nous descendons dans un hôtel.
21. - **Combien coûte** une chambre d'hôtel à New York?
22. - A New York, une chambre d'hôtel coûte de sept (7) à vingt (20) dollars.
23. - A Paris, une chambre d'hôtel ne coûte que cinquante (50) francs environ; c'est moins cher.

24. - **Savez-vous** compter en français? Oui, **je sais.**
25. - **Combien de** villes y a-t-il en France? **Savez-vous?**
26. - Non, **je ne sais pas.**
27. - **Savez-vous combien de** villes il y a aux États-Unis?
28. - Non, **je ne sais pas.** Et vous?
29. - **Je ne sais pas non plus.**

Un appartement de 5 **pièces**

Des **pièces** de monnaie.

Une **pièce** de théâtre

PRONONCIATION

BEFORE A CONSONANT

prononcez: cin~~q~~, si~~x~~
hui~~t~~, di~~x~~

cin~~q~~ francs
si~~x~~ francs
hui~~t~~ francs
di~~x~~ francs
cin~~q~~ minutes
si~~x~~ minutes
hui~~t~~ minutes
di~~x~~ minutes

cin~~q~~ tables
si~~x~~ tables
hui~~t~~ tables
di~~x~~ tables
cin~~q~~ poires
si~~x~~ poires
hui~~t~~ poires
di~~x~~ poires

vingt-cin~~q~~ francs
vingt-si~~x~~ francs
vingt-hui~~t~~ francs
trente-cin~~q~~ minutes
trente-si~~x~~ minutes
trente-hui~~t~~ minutes

BEFORE A VOWEL OR AN H

prononcez: cinq, siz,
huit, diz

cinq‿avions
six‿avions
huit‿avions
dix‿avions
cinq‿heures
six‿heures
huit‿heures
dix‿heures

cinq‿Anglais
six‿Anglais
huit‿Anglais
dix‿Anglais
cinq‿hôtels
six‿hôtels
huit‿hôtels
dix‿hôtels

vingt-cinq‿avions
vingt-six‿avions
vingt-huit‿avions
trente-cinq‿heures
trente-six‿heures
trente-huit‿heures

Saint Pierre

Cinq pierres

Exercice A: Complétez les phrase suivantes:

NE . . . QUE (N' . . . QU' before vowels) = Only or not until

1. - L'appartement a 2 pièces.
   L'appartement **n'a que** 2 pièces.
2. - L'hôtel a dix chambres.
   ....
3. - Le livre a 20 pages.
   ....
4. - Nous aimons le café.
   ....
5. - Nous invitons 2 personnes.
   ....
6. - Nous visitons un musée.
   ....
7. - Vous allez en France.
   ....
8. - Vous arrivez à 10 heures.
   ....
9. - Vous dînez à 8 heures.
   ....
10. - Je sais l'anglais.
    ....
11. - Je voyage en avion.
    ....
12. - Je répète la leçon.
    ....

LEÇON 4

LA PRONONCIATION: U —

This letter is pronounced with rounded lips.

Répétez les mots suivants:

			"ure" féminin
La minute	Le public	unique	La nature
La fortune	Le budget	subtil	La culture
La justice	Le futur	mural	La brochure
La musique	Le mur	humide	La littérature
La curiosité	Le menu	pur	La cure
La surprise	Le tunnel	stupide	La sculpture
La certitude	Le succès	vulgaire	La température
La surface	Le bureau	supérieur	La mesure
La flûte	Le musée	superficiel	La manucure
La multitude	Le support	sûr	La lecture

Exercice B: Mettez au pluriel (turn into the plural) add "s" to both nouns and adjectives and change the articles.

1. - La belle sculpture.
2. - La grande aventure.
3. - La bonne confiture.
4. - La petite signature.
5. - Une température agréable.
6. - Une littérature intéressante.
7. - Une brochure française.
8. - Une cure excellente.

— Dix nez ... Un dîner.

Exercice C: Turn into the negative:

1. - Le théâtre est très intéressant.
2. - Le vin est meilleur que la bière.
3. - Paris est plus grand que Lyon.
4. - Ma chambre est grande.
5. - Nous visitons le musée.
6. - Le train est cher.
7. - J'aime le café.
8. - Je sais le français.
9. - Vous savez l'anglais.
10. - Nous allons à Paris.

LE GENRE

WORDS ENDING WITH **"AGE"** ARE **MASCULINE:**

Le garage

Except: La cage, la rage, la page, la nage, la plage and une image.

WORDS ENDING WITH **"URE"** ARE **FEMININE:**

La nat**ure.**

Except: le murmure, un augure.

Exercice D: Place the proper article before the following words: singulier: le (m.), la (f.) l' (before vowels or h) pluriel: les.

.... courage, ... nature, ... village, ...avantage, ...brochure, ...garages, ... page, ... culture, ... mariage, ... littérature, ... garage, ... aventures, ... passage, ... héritage, ... cure, ... brochure, ... mirage .... mesure, ... lecture, ... voyage, ... bagages, ... pourcentage, ... température, ... signature, ... image, ... villages, ... torture, ... suffrage, ... dommage.

Exercice E: Répondez aux questions suivantes:

1. — Quels sont les mois de l'année?
2. — Où habitez-vous?

3. — Préférez-vous voyager en train ou en avion?
4. — Où allez-vous passer vos vacances?
5. — Avez-vous un grand appartement?
6. — Combien de pièces y a-t-il dans votre appartement?
7. — Savez-vous compter en français?
8. — Aimez-vous la musique classique?
9. — Quelle est la plus grande ville des Etats-Unis?
10. — Quel est votre numéro de téléphone?

COMPTONS de un à trente (30)

Continuez: trente **et** un, trente-deux, trente-trois, trente-quatre, trente-cinq, trente-six, trente-sept, trente-huit, trente-neuf,

40 quarante, quarante et un, quarante-deux, quarante-trois..

50 cinquante, cinquante et un, cinquante-deux, cinquante-trois....

L'ADDITION:

32 + 13 = 45, 21 + 16 = 37, 41 + 12 = 53, 19 + 15 = 34,
31 + 11 = 42, 14 + 18 = 32, 51 + 8 = 59, 16 + 17 = 33.

LA SOUSTRACTION: 33 − 16 = 17, 45 − 14 = 31, 41 − 36 = 5
51 − 21 = 30, 34 − 15 = 19, 16 − 13 = 3

Ils jouent **aux** cartes.

Chez le médecin.

Cinquième (5ème) leçon

NOUS ALLONS AU RESTAURANT

1. - Nous avons faim, nous allons au restaurant pour déjeuner.
2. - **Mon père demande** une table de 4 couverts (pour 4 personnes).
3. - **Le garçon nous donne** une table près de la fenêtre.
4. - **Il apporte** le menu.
5. - **Mon père commande** pour nous un bon déjeuner.
6. - Des côtelettes de porc avec de la purée de pommes de terre pour ma sœur;
7. - un bifteck avec des frites pour mon frère;
8. - Moi, je préfère une côtelette de mouton avec des haricots.
9. - Naturellement, **le garçon** nous **sert** d'abord des hors-d'œuvre: des radis, des sardines, du saucisson, de la salade de chou, etc...
10. - En France, à midi, **on mange** toujours des hors-d'œuvre.
11. - **Mon frère demande** aussi une entrée (1) parce qu'il a très faim.
12. - **Il aime** beaucoup les vol-au-vent; il en commande un comme entrée.
13. - **Le garçon verse** un bon vin rouge dans nos verres.
14. - Nous mangeons des fruits pour dessert.
15. - C'est la saison des fraises; mon père et moi demandons des fraises à la crème.
16. - Mon frère et ma sœur prennent des fraises au vin. C'est très bon.
17. - Quand nous avons fini, mon père demande l'addition.
18. - **Il paye** et laisse 10 pour cent de pourboire au garçon.
19. - En France, **on donne** aussi généralement un pourboire aux ouvreuses dans les théâtres et les cinémas.
20. - En France, **on mange** souvent de la soupe (du potage) pour dîner.
21. - **On boit** toujours du vin au dîner et au déjeuner.
    On mange la soupe avec une cuillère à soupe.
    Il y a aussi des cuillères à café. La cuillère à café est petite.
    La cuillère à soupe est grande.
    Avec quoi **coupe-t-on** le pain?
    On coupe le pain avec un couteau.

---

(1) First course.

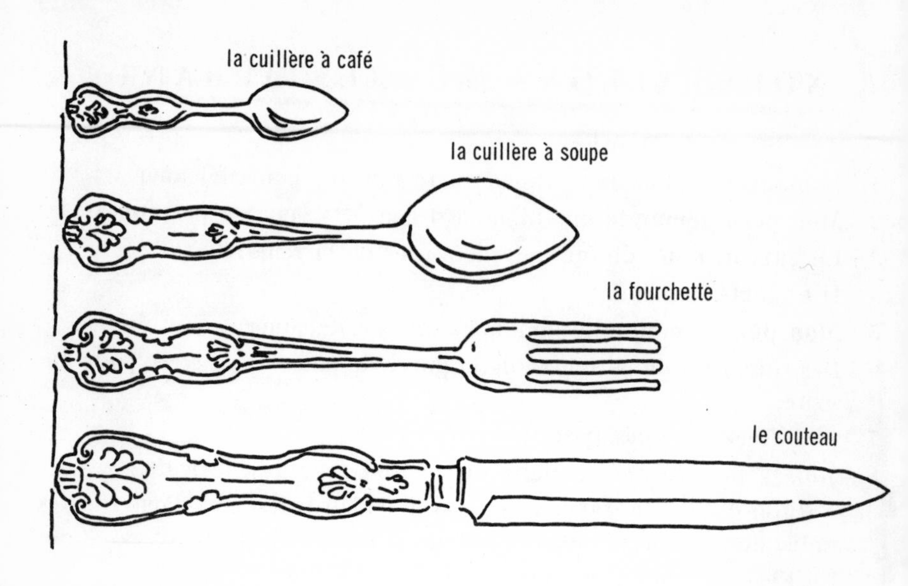

Au restaurant.

En France, on boit toujours du vin aux repas.

LA NEGATION: 1) **Complétez puis répétez les phrases suivantes.**
2) **Mettez-les à la forme négative.**
3) **Remplacez "il" par "elle".**

Prononcez: "il **ne**" et "elle **ne**"

Il mange beaucoup.
Il ne mange pas beaucoup.
Il coupe son pain.
....
Il visite Paris.
....
Il dîne au restaurant.
....
Il voyage en avion.
....
Il invite son frère.
Il n'invite pas son frère.
Il accepte l'invitation.
....
Il approuve le projet.
....
Il aime l'autobus.
....
Il habite à Paris.
....

Prononcez: on ne = onne

On mange beaucoup.
On ne mange pas beaucoup.
On coupe son pain.
....
On visite Paris.
....
On dîne au restaurant.
....
On voyage en avion.
....
On invite ses amis.
On n'invite pas ses amis.
On accepte l'invitation.
....
On approuve le projet.
....
On aime l'autobus.
....
On habite à Paris.
....

LE GENRE: Words ending with the suffix **"-ence"** (or **"ance")** are **feminine.**

Répétez:

La différence	L'apparence	La correspondance	
La présence	L'absence	La distance	
La conférence	L'innocence	La persistance	
La conscience	L'influence	La dépendance	
La présidence	L'intelligence	La préférence	
La référence	**L'éloquence**	La patience	**Exception:**
La conséquence	L'agence	L'existence	Le silence

LEÇON 5

LA QUESTION: **1) Complétez les phrases suivantes,**
2) Mettez-les à la forme interrogative,
3) Remplacez "il" par "elle".

Il mange des fruits.
Mange-t-il des fruits?
Est-ce qu'il mange des fruits?
Il coupe son pain.
....?
Il visite l'Italie.
....?
Il dîne au restaurant.
....?
Il voyage en avion.
....?
Il invite sa soeur.
....?
Il accepte l'invitation.
....?
Il habite à New York.
....?
Il aime le vin.
....?
Il approuve la décision.
....?

On mange du pain.
Mange-t-on du pain?
Est-ce qu'on mange du pain?
On coupe avec un couteau.
....?
On visite le Mexique.
....?
On dîne en ville.
....?
On voyage en train.
....?
On invite des amis.
....?
On accepte le pourboire.
....?
On habite dans une maison.
....?
On aime le champagne.
....?
On approuve le projet.
....?

NOTE: No "t" added to verbs ending with "t" or "d":
"Il boit — Boit-il".

il y a **y a-t-il?** **il n'y a pas**

Exercice A — Mettez au pluriel:

1. - Le grand courage.
2. - Le bon garage.
3. - Le long passage.
4. - Le petit héritage.
5. - Un fromage excellent.
6. - Un village américain.
7. - Un voyage cher.
8. - Un pourcentage intéressant.

1. - La grande différence.
2. - La bonne apparence.
3. - La longue absence.
4. - La petite distance.
5. - Une conscience excellente.
6. - Une agence américaine.
7. - Une présence chère.
8. - Une conférence intéressante.

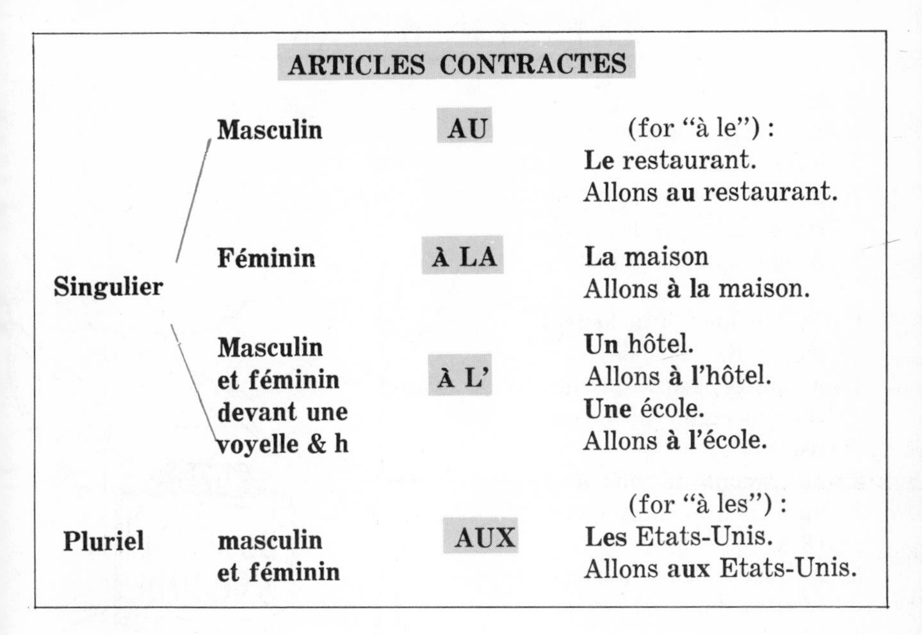

ARTICLES CONTRACTES

Singulier	**Masculin**	**AU**	(for "à le"): **Le** restaurant. Allons **au** restaurant.
	Féminin	**À LA**	**La** maison. Allons **à la** maison.
	Masculin et féminin devant une voyelle & h	**À L'**	**Un** hôtel. Allons **à** l'hôtel. **Une** école. Allons **à** l'école.
Pluriel	**masculin et féminin**	**AUX**	(for "à les"): **Les** Etats-Unis. Allons **aux** Etats-Unis.

Exercice B — Complétez avec un article contracté:

1. — **Le** Canada: Nous passons nos vacances .... Canada.
2. — **La** maison: Je ne dîne pas .... maison.
3. — **Le** théâtre: Allons .... théâtre.
4. — **La** bibliothèque: N'allons pas .... bibliothèque.
5. — **La** carte: Il commande un dîner .... carte.
6. — **Le** garçon: Elle donne un pourboire .... garçon.
7. — **Une** ouvreuse: Elle donne aussi un pourboire .... ouvreuse.
8. — **Le** Mexique: J'arrive .... Mexique.
9. — **Une** école: Il arrive .... école.
10. — **Le** restaurant: Je dîne .... restaurant.

Sixième (6ème) leçon

JAMAIS LE DIMANCHE

1. - A quelle heure vous levez-vous?
2. - Je me lève à sept heures et demie (7 h. ½).
3. - A quelle heure déjeunez-vous?
4. - Je déjeune à huit heures moins dix (7 h. 50).
5. - A quelle heure prenez-vous le train (ou le métro)?
6. - Je prends le métro à huit heures un quart (8 h. ¼).
7. - A quelle heure arrivez-vous au bureau?
8. - J'arrive au bureau à neuf heures moins cinq.
9. - En semaine, je me lève tôt pour aller travailler.
10. - Quels jours travaillez-vous?
11. - Je travaille le lundi, le mardi, le mercredi, le jeudi et le vendredi.
12. - Je **ne** travaille **jamais** le samedi et le dimanche.
13. - Combien d'heures travaillez-vous par jour?
14. - Je travaille huit heures par jour.
15. - A quelle heure Bernard et Paul **se lèvent-ils**?
16. - Ils se lèvent à sept heures et demie comme moi, mais ils **ne prennent** le métro **qu'**à huit heures et demie et **n'**arrivent au bureau **qu'**à neuf heures.

Il se rend à son travail à pied.

17. - Ils travaillent jusqu'à cinq heures et demie.
18. - A quelle heure Alice et Suzanne se lèvent-elles ?
19. - Elles ne se lèvent qu'à huit heures et demie.
20. - Elles se lèvent tard ! Pourquoi se lèvent-elles tard ?
21. - Parce qu'elles ne travaillent pas encore, elles sont trop jeunes.
22. - Elles ne vont jamais au bureau ; elles ont de la chance.
23. - Mais elles vont à l'école en automne, en hiver et au printemps.
24. - Quel jour est-ce aujourd'hui ?
25. - C'est aujourd'hui mardi.
26. - Quelle est la date ? Savez-vous ?
27. - C'est le premier juillet.
28. - Quelle est la date de votre anniversaire ?
29. - Je suis né (e) le cinq mars. Mon anniversaire est le cinq mars.

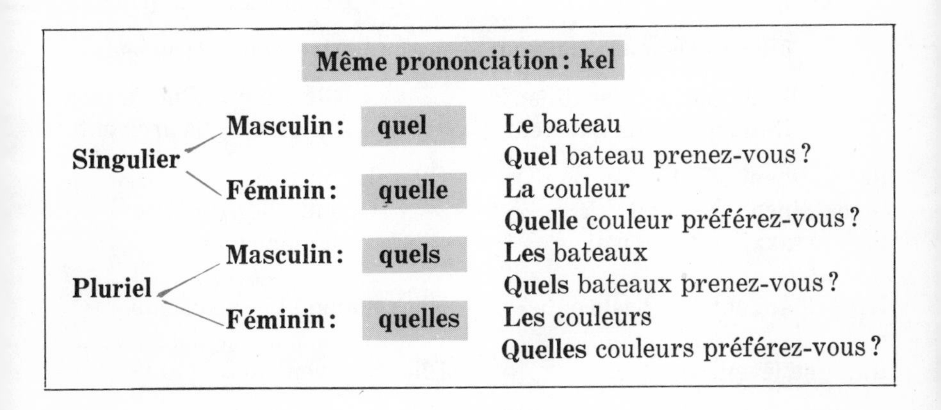

Même prononciation : kel

Singulier	**Masculin :**	**quel**	**Le** bateau **Quel** bateau prenez-vous ?
	Féminin :	**quelle**	**La** couleur **Quelle** couleur préférez-vous ?
Pluriel	**Masculin :**	**quels**	**Les** bateaux **Quels** bateaux prenez-vous ?
	Féminin :	**quelles**	**Les** couleurs **Quelles** couleurs préférez-vous ?

COMPTEZ de trente (30) à soixante (60) et de soixante à trente.

Continuez : soixante et un (61), soixante-deux (62), soixante-trois.... soixante-dix (70), soixante et onze (71), soixante-douze (72), soixante-treize (73), soixante-quatorze (74), soixante-quinze (75), soixante-seize (76), soixante-dix-sept (77), soixante-dix-huit (78), soixante-dix-neuf (79), quatre-vingts (80).

Additionnez:

31 + 12 = 43, 16 + 55 = 71, 56 + 21 = 77, 72 + 4 = 76,
66 + 13 = 79, 41 + 16 = 57, 33 + 28 = 61, 73 + 2 = 75.

Exercice A: 1) Remplacez "jamais" par "pas".
2) Remplacez "ils" par "il": Il n'arrive jamais...

Ils ne dînent jamais tôt.
Ils ne donnent jamais un sou.
Ils ne travaillent jamais mal.
Ils ne se lèvent jamais tard.

Ils n'arrivent jamais tard.
Ils n'invitent jamais Pierre.
Ils n'acceptent jamais un sou.
Ils n'approuvent jamais Marie.

LA NEGATION

1) Complétez,
2) Remplacez ils par elles.

Même prononciation pour:

Elle dîne = Elles dînent
Il mange = Ils mangent

Ils dînent tard.
Ils ne dînent pas tard.
Ils travaillent mal.
....
Ils mangent beaucoup.
....
Ils se lèvent tôt.
....
Ils donnent 6 francs.
....
Ils aiment le vin.
....
Ils habitent à Paris.
....
Ils invitent Paul.
....
Ils arrivent tôt.
....
Ils acceptent l'idée.
....

LA QUESTION:

1) Complétez,
2) Remplacez elles par ils.

Attention à la liaison

Elle aime = Elles aiment.
Il arrive = Ils arrivent.

Elles dînent tard.
Dînent-elles tard?
Elles travaillent mal.
....?
Elles mangent beaucoup.
....?
Elles se lèvent tôt.
....?
Elles donnent 6 francs.
....?
Elles aiment le vin.
....?
Elles habitent à Paris.
....?
Elles invitent Paul.
....?
Elles arrivent tôt.
....?
Elles acceptent l'idée.
....?

En semaine il se lève tôt pour aller travailler.

Il **ne** travaille **jamais** le samedi et le dimanche.

LEÇON 6

PRONONCIATION ET AUDITION "th" se prononce "t":

Le théâtre
Le rythme
Le thermomètre
Le thème

La cathédrale
La théorie
La méthode
La sympathie

Catholique
Synthétique
Thermal
Thérapeutique

Le Panthéon

Exercice B — Répétez, puis remplacez "pas" par "jamais".

1. — Il n'y a pas de train direct pour Versailles.
2. — Il n'y a pas d'avion à 7 heures pour Paris.
3. — Il n'y a pas d'autobus pour Bordeaux.
4. — Il n'y a pas de neige en été.
5. — On ne boit pas de vin au petit déjeuner.
6. — On ne donne pas de pourboire aux ouvreuses.
7. — On ne travaille pas le dimanche.
8. — On n'aime pas aller chez le dentiste.

Quelle heure est-il?

Il est une heure.
une heure cinq.
une heure dix.
une heure un quart.
une heure vingt.
une heure vingt-cinq.
une heure et demie.

Il est deux heures moins vingt-cinq.
deux heures moins vingt.
deux heures moins le quart.
deux heures moins dix.
deux heures moins cinq.
midi (12 heures).
minuit (0 heure).

Quelle heure est-il?

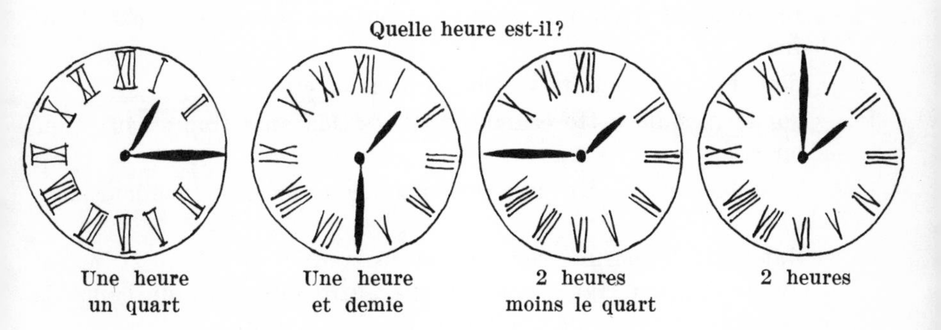

Une heure un quart — Une heure et demie — 2 heures moins le quart — 2 heures

Conversation — Répondez aux questions suivantes:

1. — Combien coûte une chambre d'hôtel à Paris et à New York?
2. — Combien coûte une bouteille de vin français?
3. — Combien de pourboire donne-t-on au garçon?
4. — Quels vins préférez-vous?
5. — Quels fruits y a-t-il en automne?
6. — Quelle saison préférez-vous?
7. — Quelle couleur préférez-vous?
8. — Quel est votre restaurant préféré?
9. — Avec quoi coupe-t-on le pain?
10. — Avec quoi mange-t-on la soupe?
11. — Est-ce que New York est plus grand que Paris?
12. — Est-ce que le vin est plus cher que la bière?

Septième (7ème) leçon

COMBIEN COÛTE CETTE CHAMBRE ?

1. - J'arrive à Paris. Je vois la Tour Eiffel et Montmartre.
2. - Le train entre en gare ; j'appelle un porteur.
3. - Je lui dis : « Porteur, **prenez ces** bagages, s'il vous plaît ».
4. - J'ai 3 valises et un sac.
5. - **Le porteur prend** mes bagages et appelle un taxi pour moi.
6. - Je paie le porteur et je donne mon adresse au chauffeur de taxi.
7. - Le chauffeur m'amène à mon hôtel, rue des Saints-Pères.
8. - « **Je voudrais** avoir une chambre pour une personne avec salle de bains ».
9. - « Nous **en** avons une très belle au premier étage. »
10. - « Combien coûte **cette** chambre ? » — « Quarante francs (40) Monsieur ».
11. - « C'est bien cher. **En** avez-vous une moins chère ? (meilleur marché) »
12. - « Mais oui, Monsieur. Nous **en** avons une au troisième étage qui coûte trente-cinq francs (35) et une autre sans salle de bains au quatrième qui ne coûte que vingt-cinq francs (25) ».
13. - « Donnez-moi la chambre à 35 francs (trente-cinq). Je préfère avoir une salle de bains à moi ».
14. - « Très bien, Monsieur. Garçon ! Conduisez Monsieur à la chambre trente-huit (38) ».
15. - « Voici la clé, Monsieur ». — « Merci bien ».
16. - **Le garçon prend** mes bagages.
17. - **Nous prenons** l'ascenseur pour monter au troisième étage.
18. - Je suis **content de** ma chambre.
19. - Elle est très propre, mais pas très grande.
20. - Elle est très confortable.
21. - Je donne un pourboire au garçon qui a apporté mes valises.
22. - Il n'y a pas de poste de télévision dans ma chambre, mais il y **en** a un dans le salon de l'hôtel.
23. - Je ne veux pas regarder la télévision.
24. - Je préfère sortir pour voir Paris, ses cafés, ses boulevards, ses magasins, etc...

Je vois la Tour Eiffel

. . . et Montmartre.

Il prend le journal.

Nous prenons le métro pour aller travailler.

LEÇON 7

COMPARAISON IRREGULIERE

MASCULIN	MASCULIN
Le pain est **bon.**	Le chocolat est **meilleur.**
Le vin est **bon marché.**	Le cidre est **meilleur marché.**
FEMININ	**FEMININ**
La salade est **bonne.**	La poire est **meilleure.**
La fraise est **bon marché.**	La pomme est **meilleur marché.**

Exercice A: 1) Répétez ces phrases oralement,
2) Répétez-les négativement.

Je prends l'ascenseur. / l'autobus. / mes livres. / mes gants. / mes valises. / mon dîner. / mon journal.

Nous prenons l'ascenseur. / l'autobus. / nos livres. / nos gants. / nos valises. / notre dîner. / notre journal.

COMPTEZ: 80 — Quatre-vingts, quatre-vingt-un, quatre-vingt-deux.
90 — quatre-vingt-dix, quatre-vingt-onze, quatre-vingt-douze, quatre-vingt-treize, quatre-vingt-quatorze, quatre-vingt - quinze, quatre - vingt - seize, quatre-vingt-dix-sept, quatre-vingt-dix-huit, quatre-vingt-dix-neuf, **cent** (100), **mille** (1000).

Lisez rapidement oralement les nombres suivants:

24, 55, 11, 33, 47, 18, 16, 60, 70, 13, 29, 58, 19, 21, 31, 41, 51, 61, 71, 12, 42, 15, 66, 30, 17, 198, 424, 675, 381, 567, 899.

Répondez aux questions suivantes:

1. - A quelle heure arrivez-vous au bureau? 2. - Prenez-vous vos repas chez vous? 3. - A quelle heure vous levez-vous? 4. - Prenez-vous le métro pour aller au bureau? 5. - Aimez-vous voyager en avion?

LE GENRE — Words ending with the suffixes **"sion"** and **"tion"** are **feminine.**

La confusion	La production	
La division	La formation	**Différents en anglais**
La mission	La circulation	
La commission	La déception	Un examen
La transmission	La prédiction	Les vacances
La prévision	La complication	Une dictée
La conclusion	La fraction	Une durée
La dépression	La constitution	Une annulation
La fission	La confirmation	Un assassinat
La session	La réaction	Un don

Exercice B — 1) **Ajoutez d'autres mots à cette liste.**
2) **Mettez: le, la, l', les, un, une ou des devant les mots suivants:**

.... prononciation, ... fromage, ... nature, ... solution, ... bagage, ... soustraction, ... page, ... créature, ... espionnage, ... fonction, ... dictature, ... hommages, ... commission, ... direction, ... cure, ... protection, ... signature, ... affection, ... langage, ... élection.

PRONONCIATION

— **Pronounce with rounded lips: le, ce, de.**

— **Pronounce with relaxed lips: les, ces, des.**

1. - Elles prennent **le** livre.	Elles prennent **les** livres.
2. - Prenez-**le.**	Prenez-**les.**
3. - Ils visitent **le** musée.	Ils visitent **les** musées.
4. - **Ce** chocolat est bon.	**Ces** chocolats sont bons.
5. - Prenez **ce** sac.	Prenez **ces** sacs.
6. - **Ce** monsieur est grand.	**Ces** messieurs sont grands.
7. - Elle mange **de** bons fruits.	Elle mange **des** fruits.
8. - Je parle **de** ma soeur.	Je parle **des** enfants.

ARTICLES PARTITIFS

Singulier	**Masculin**	**DU**	(for "de le") : **Le** pain. Je mange **du** pain.
	Féminin	**DE LA**	**La** salade. Je mange **de la** salade.
	Masc. & fém. devant une voyelle ou h	**DE L'**	L'argent — L'eau. Je gagne **de** l'argent. Je bois **de** l'eau.
Pluriel	**Masculin** **et féminin**	**DES**	(for "de les") : **Les** fruits. Je mange **des** fruits.

Exercice C — Complétez avec des articles partitifs:

1. - **Le café:** Apportez-moi .... café.
2. - **Les** légumes: Apportez-moi .... légumes.
3. - **La** bière: Apportez-moi .... bière.
4. - **Le** champagne:Donnez-nous .... champagne.
5. - **La** bouillabaisse: Donnez-nous .... bouillabaisse.
6. - **Les** livres: Donnez-nous .... livres.
7. - **La** soupe: il mange .... soupe.
8. - **Le** poisson: Il mange .... poisson.
9. - **Les** fruits: Il mange .... fruits.
10. - **La** limonade: Elle boit .... limonade.
11. - **Le** lait: Elle boit .... lait.
12. - **Le** vin: Versez-moi .... vin.

Exercice D — Répétez 1) positivement, 2) négativement.

1. - Je prends mon livre.
   Vous prenez votre livre.
2. - Je suis né(e) à Paris
   Vous êtes né(e) à Paris.
3. - Je sais compter.
   Vous savez compter.
4. - Je bois du lait.
   Vous buvez de la bière.
5. - J'apprends le français.
   Vous apprenez le français.
6. - J'ai faim, je mange.
   Vous avez faim, vous mangez.
7. - J'ai 20 ans.
   Vous avez 16 ans.
8. - J'ai soif, je bois.
   Vous avez soif, vous buvez.

Il prend un taxi.

Huitième (8ème) leçon

NE POSEZ PAS TANT DE QUESTIONS

1. - Catherine habite avec ses parents un joli appartement de 6 pièces, 11, rue de la Pompe.
2. - Elle apprend l'anglais.
3. - Aujourd'hui, son professeur d'anglais lui a demandé:
4. - « Quel âge avez-vous? » — Catherine a répondu: « J'ai 20 ans ».
5. - « Avez-vous des frères et sœurs? » — « J'ai un frère et une sœur ».
6. - « **Comment s'appelle** votre frère? » — « Il s'appelle Jean-Louis ».
7. - « Quel âge a-t-il? » — « Il a 20 ans comme moi, c'est mon jumeau ».
8. - « **Comment s'appelle** votre sœur? » — « Elle s'appelle Laurence ».
9. - « **Comment s'appellent** votre père et votre mère? »
10. - « Mon père s'appelle René et ma mère Marcelle ».
11. - « Votre père gagne-t-il beaucoup d'argent? »
12. - Catherine pense que cette question est très indiscrète.
13. - Elle répond: « Je ne sais pas ».
14. - « Est-ce que votre mère gagne de l'argent? »
15. - « Non, mais elle travaille beaucoup à la maison ».
16. - « Avez-vous une auto? » — « Oui, nous **en** avons une ».
17. - « Prenez-vous des leçons de tennis? » « Oui, j'**en** prends ».
18. - « Apprenez-vous aussi à conduire? » — « Oui, bien sûr, j'apprends à conduire ».
19. - « Votre sœur sait-elle conduire? » — « Non, pas encore ».
20. - « Aimez-vous danser? » — « Oui, beaucoup ».
21. - « A quel étage habitez-vous? » — « J'habite au quatrième ».
22. - « Y a-t-il un ascenseur dans votre maison? » — « Oui, il y **en** a un ».
23. - « Êtes-vous née à Paris? » — « Oui, je suis née à Paris ».
24. - « Est-ce que votre sœur est blonde? » — « Non, elle n'est pas blonde ».
25. - « Elle est brune, mais mon frère est blond comme moi ».
26. - « Excusez-moi de vous poser tant de questions indiscrètes », dit le professeur.
27. - « Ce n'est pas de la curiosité de ma part, mais pour vous faire parler et vous apprendre à vous exprimer ».

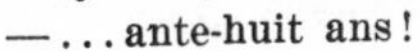

— Quel âge avez-vous?
— . . . ante-huit ans!

ADJECTIFS DEMONSTRATIFS

THIS	Masculin	CE	: **Ce** fruit (un fruit).
		CET	: before vowels or h: **Cet** avion (un avion).
	Féminin	CETTE	: **Cette** chambre (la chambre).
THESE	Pluriel	CES	: **Ces** fruits, **ces** avions. **ces** chambres.

Exercice A — Complétez avec "ce", "cet", "cette", ou "ces".

1. — **Un** appartement: Il n'aime pas .... appartement.
2. — **Les** pommes: Apportez-moi .... pommes.
3. — **La** chambre: Combien coûte .... chambre?
4. — **Le** restaurant: Les repas de .... restaurant sont chers.
5. — **Les** bagages: Prenez .... bagages.
6. — **La** valise: Prenez .... valise.
7. — **Le** sac: Prenez .... sac.
8. — **Un** ascenseur: Prenez .... ascenseur.
9. — **La** maison: Il visite .... maison.
10. — **Un** avion: Ils prennent .... avion.

PRONONCIATION

LIAISONS
Link last consonant with following word.

Quel âge a-t-elle?
Il arrive aux Etats-Unis.
Ils arrivent à l'heure.
Il va en Espagne et en Italie.
Nous invitons deux amis.
On admire le courage.
Elle accepte l'invitation.

ELISIONS
Link abbreviated syllable with preceding word.

Je ne mange jamais de pain.
Nous ne savons pas le français.
Vous ne buvez pas de bière.
On ne parle que le français.
Il y a beaucoup de livres.
Mademoiselle Madeleine est grande.
Naturellement, il ne sait pas le russe.

CONJUGAISON

Verbs ending in -er (visiter), are regular except "aller".

PRESENT

AIMER	FERMER
J'aim **e**	Je ferm **e**
Tu aim **es**	Tu ferm **es**
Il	Il
Elle aim **e**	Elle ferm **e**
On	On
Nous aim **ons**	Nous ferm **ons**
Vous aim **ez**	Vous ferm **ez**
Ils	Ils
Elles aim **ent**	Elles ferment

IMPERATIF

	Exemples
Ferm **e**	Ferme la porte
	Fermons la porte
	Fermez la porte
	Négatif
Ferm **ons**	Ne ferme pas la porte.
Ferm **ez**	Ne fermons pas la porte.
	Ne fermez pas la porte.

Same Pronunciation for: Je ferme = Tu fermes.
Il ferme = Ils ferment.

Exercice B — Mettez les phrases suivantes à l'impératif:

1. - Couper du pain. 2. - Gagner de l'argent. 3. - Donner de la bière. 4. - Apporter du vin. 5. - Arriver à l'heure. 6. Verser du thé.

Exercice C — Le pronom **en** remplace les mots entre parenthèses. Répétez oralement:

1. - Avez-vous (des livres) ? **En** avez-vous ? Oui, j'**en** ai.
Non, je n'**en** ai pas.

2. - Buvez-vous (du vin) ? **En** buvez-vous ? Oui, j'**en** bois.
Non, je n'**en** bois pas.

3. - Prenez-vous (des leçons) ? **En** prenez-vous ? Oui, j'**en** prends.
Non, je n'**en** prends pas.

4. - Mangez-vous beaucoup de (fruits) ? **En** mangez-vous beaucoup ?
Oui, j'**en** mange beaucoup — Non, je n'**en** mange pas beaucoup.
5. - Gagnez-vous beaucoup (d'argent) ? **En** gagnez-vous beaucoup ?
Oui, j'**en** gagne beaucoup — Non, je n'**en** gagne pas beaucoup.
6. - Combien (de chapeaux) avez-vous ? Combien **en** avez-vous ?
Je n'**en** ai qu'un—J'**en** ai 2—Je n'**en** ai pas.
7. - Combien (de questions) posez-vous ? Combien **en** posez-vous ?
Je n'**en** pose qu'une — J'**en** pose 4 — Je n'**en** pose pas.
8. - Combien (de langues) savez-vous ? Combien **en** savez-vous ?
Je n'**en** sais qu'une — J'**en** sais 3.

Exercice D —Conjuguez au présent les verbes suivants:

1. - Inviter un ami. 2. - Dîner au restaurant. 3. - Habiter à Paris. 4. - Donner un pourboire. 5. - Couper du pain.

Conversation — Répondez aux questions suivantes:

1. — Est-ce que votre appartement est confortable?
2. — A quel étage est-il?
3. — Est-il cher ou bon marché?
4. — Etes-vous content(e) de votre appartement?
5. — Combien de pièces y a-t-il dans votre appartement?
6. — Quel est votre numéro de téléphone?
7. — Quelle est votre adresse?
8. — Y a-t-il un ascenseur dans votre maison?
9. — Combien de jours y a-t-il dans une semaine?
10. — Quels jours travaillez-vous?

Exercice E — 1) Répétez ces phrases positivement et négativement.
2) Couvrez la 1ère colonne et remplacez "je" par "vous".
3) Couvrez la 2ème colonne et remplacez "vous" par "je".

1. - Vous prenez vos valises.	— Je prends mes valises.
2. - Vous avez 21 ans.	— J'ai 21 ans.
3. - Vous buvez de la bière.	— Je bois de la bière.
4. - Vous comprenez l'anglais.	— Je comprends l'anglais.
5. - Je suis né (e) en France	— Je suis né (e) en France
6. - Vous savez compter.	— Je sais compter.

LES CHIFFRES

MASC.	**— FEM.**		**MASCULIN ET**		**FEMININ**	
					sixième	(6ème)
Premier	— première					
Second	— seconde	or:	deuxième	(2ème)	septième	(7ème)
			troisième	(3ème)	huitième	(8ème)
			quatrième	(4ème)	neuvième	(9ème)
			cinquième	(5ème)	dixième	(10ème)

Nombres pairs

22 est un nombre **pair,** 8 aussi, 14 aussi.
Quels sont les **nombres pairs** de 1 à 20?

Nombres impairs

13 est un nombre **impair,** 7 aussi, 3 aussi.
Quels sont les nombres impairs de 1 à 21?

Exercice F — Remplacez "tant de" par "beaucoup de"
Prononcez "tand" et "beaucoud".

1. - Ne coupez pas tant de pain.
2. - Ne versez pas tant de vin.
3. - Ne buvez pas tant de bière.
4. - N'apportez pas tant de café.
5. - Ne prenez pas tant de gâteaux.
6. - Ne visitez pas tant de musées.
7. - Ne mangez pas tant de riz.
8. - Ne signez pas tant de lettres.

Je prends l'ascenseur.

Neuvième (9ème) leçon

JE ME PERDS SOUVENT

1. - Je suis à Paris et je ne sais pas où est l'Opéra.
2. - Je demande dans la rue à un monsieur:
3. - « Excusez-moi, Monsieur; **pourriez-vous** m'indiquer l'Avenue de l'Opéra? »
4. - « Mais certainement. C'est la deuxième à votre gauche ».
5. - Je **n'ai plus** de francs, je vais à la banque qui est près de l'Avenue de l'Opéra pour changer mes dollars.
6. - A la banque, on me donne plusieurs billets de cent francs.
7. - Je n'ai plus de monnaie; je demande:
8. - « **Pourriez-vous** me faire la monnaie de cent francs? »
9. - « Avec plaisir, Madame. Voulez-vous des billets de cinquante (50), de dix (10) ou de cinq (5) francs? »
10. - « Donnez-moi, s'il vous plaît, neuf billets de dix francs et deux billets de cinq francs. »
11. - « Merci beaucoup (merci bien) ».
12. - Je suis en face de l'Opéra.
13. - **A ma gauche**, il y a la rue de la Paix.
14. - **A ma droite**, il y a le Boulevard des Italiens.
15. - Je ne sais pas où sont les Galeries Lafayette.
16. - Je demande à une jeune fille:
17. - « Pardon, Mademoiselle; **pourriez-vous** me dire où sont les Galeries Lafayette? »
18. - « **Tout droit**, Madame, devant vous ».
19. - « Et savez-vous où est la gare Saint-Lazare? »
20. - « **Tout droit** et **à gauche** ».
21. - Mais **je me trompe**, je vais à droite au lieu d'aller **à gauche** et je me trouve devant une église.
22. - Je suis perdu(e). Je ne trouve pas la gare Saint-Lazare.
23. - Je me perds souvent à Paris parce que les rues vont dans toutes les directions. C'est très difficile.
24. - C'est beaucoup plus facile à New York parce que les rues sont numérotées et parallèles.

Exercice A — Répétez les phrases suivantes négativement en remplaçant "du, de la, des" par "pas de" (prononcez "pad"):

1) Il a **du** travail = Il n'a **pas de** travail.
(pas de = no or not any).

2) Il a **du** travail = Il n'a **jamais de** travail.
(jamais de = never any).

1. - Je prends du pain.
2. - Je bois du thé.
3. - Nous buvons du lait.
4. - Nous avons du temps.
5. - Elle a de la **chance.**
6. - Il a de la **monnaie.**
7. - Vous mangez de la soupe.
8. - Vous prenez des leçons.
9. - Vous apportez des nouvelles.
10. - Ils posent des questions.
11. - Elles boivent du chocolat.
12. - Ils prennent de la bière.

LE GENRE : — Words ending with the suffix -ment are masculine.

Le remplace**ment**	**Le** juge**ment**	**Un** élé**ment**
Le gouverne**ment**	**Le** développe**ment**	**Un** apparte**ment**
Le parle**ment**	**Le** renforce**ment**	**Un** équipe**ment**
Le change**ment**	**Le** tour**ment**	**Un** établisse**ment**
Le compli**ment**	**Le** tempéra**ment**	**Un** amuse**ment**

Exercice B — Complétez avec les adjectifs suivants:

Masculin: bon, long, petit, français, grand, excellent, meilleur.

Féminin: bonne, longue, petite, française, grande, excellente, meilleure.

1. - **Le** b .... élément.
2. - **Le** g .... changement.
3. - **Le** m .... jugement.
4. - **Le** p .... appartement.
5. - **Un** e .... équipement.
6. - **Le** l .... tourment.
7. - **Un** établissement f ....

1. - **La** b .... constitution.
2. - **La** g .... production.
3. - **La** m .... compréhension.
4. - **La** p .... déception.
5. - **Une** e .... question.
6. - **La** l .... mission.
7. - **Une** prononciation f ....

CONJUGAISON

AFFIRMATIF	NEGATIF
AVOIR	
Présent	
J'ai	Je n'ai pas
Tu as	Tu n'as pas
Il a	Il n'a pas
Nous avons	Nous n'avons pas
Vous avez	Vous n'avez pas
Ils ont	Ils n'ont pas
DINER	
Passé composé	
J'ai dîné	Je n'ai pas dîné
Tu as dîné	Tu n'as pas dîné
Il a dîné	Il n'a pas dîné
Nous avons dîné	Nous n'avons pas dîné
Vous avez dîné	Vous n'avez pas dîné
Ils ont dîné	Ils n'ont pas dîné

Passé composé: Présent du verbe "avoir" + participe passé: dîné.

Même prononciation pour: **dîner** (to dine) vous **dînez** (you dine) and **dîné** (dined).

Past participles (participe passé) of verbs ending in **-er are** regular: Dîn**er** - J'ai dîn**é**, donn**er** - j'ai donn**é**. **Pas d'exception.**

Exercice C — Mettez les phrases suivantes au passé composé avec: 1) Nous avons ....2) J'ai ....3) Elles ont ....4) Vous avez....

1. - Poser une question.
2. - Verser du vin.
3. - Donner un pourboire.
4. - Visiter un musée.
5. - Manger de la salade.
6. - Gagner de l'argent.
7. - Travailler toute la journée.
8. - Déjeuner à midi juste.
9. - Couper du pain.
10. - Apporter le potage.

Exercice D — Lisez oralement:

1.298, 8.616, 15.872, 102.381, 88.971, 21.318, 99.141, 999,
1.848, 1.774, 33.615, 451.163, 74.191, 51.496, 76.395, 876.

Exercice E — When indicating a quantity without repeating the noun, one must use "en" (see lesson 8, ex. C). Answer the following questions using "il y en a": Combien de jours y a-t-il dans une semaine? Il y en a 7.

1. — Combien de mois y a-t-il dans une année?
2. — Combien d'heures y a-t-il dans un jour?
3. — Combien de minutes y a-t-il dans une heure?
4. — Combien de jours y a-t-il dans une année?
5. — Combien de personnes y a-t-il dans cette pièce?
6. — Combien de jours y a-t-il dans le mois de février?
7. — Combien de fenêtres y a-t-il dans cette pièce?
8. — Combien de semaines y a-t-il dans une année?
9. — Combien de pages y a-t-il dans votre livre de français?

Exercice F —

Remplacez la par ma:

1. - Je prends la cuillère.
2. - Je mange la brioche.
3. - Je sais la leçon.
4. - J'aime la chambre.

Remplacez 1) la par sa, puis 2) il par elle:

1. - Il prend la cuillère.
2. - Il mange la brioche.
3. - Il sait la leçon.
4. - Il aime la chambre.

Remplacez le par mon:

5. - Je prends le manteau.
6. - J'aime le livre.
7. - Je mange le pain.
8. - Je bois le café.

Remplacez 1) le par son et 2) il par elle:

5. - Il prend le manteau.
6. - Il aime le livre.
7. - Il mange le pain.
8. - Il boit le café.

Le Pélican

LE PELICAN

Le capitaine Jonathan,
Etant âgé de dix-huit ans,
Capture un jour un pélican
Dans une île d'Extrême-Orient.

Le pélican de Jonathan,
Au matin, pond un oeuf tout blanc
Et il en sort un pélican
Lui ressemblant étonnamment.

Et ce deuxième pélican
Pond, à son tour, un oeuf tout blanc
D'où sort, inévitablement
Un autre qui en fait autant.

Cela peut durer pendant très longtemps
Si l'on ne fait pas d'omelette avant.

"Chantefables et Chantefleurs" de R. Desnos

– Je me trompe ?

Exercice G: 1) Remplacez **pas de** par **plus de.**
2) Remplacez "je n'ai pas" par: a) ils n'ont pas,
b) nous n'avons pas.

je n'ai **pas de**	monnaie courage pain	je n'ai **pas d'**	appartement argent idée

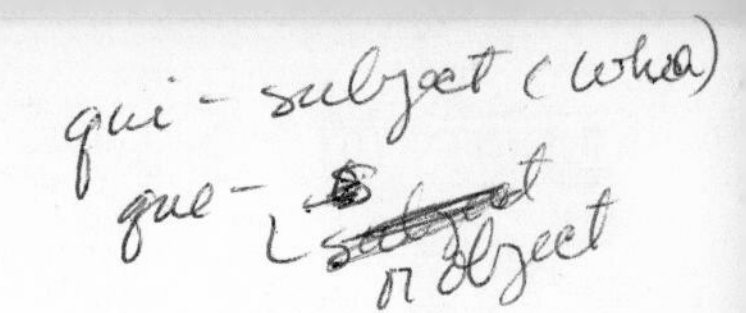

Dixième (10ème) leçon

HIER, NOUS AVONS FAIT UN TAS DE CHOSES

1. - Hier, **nous avons travaillé** toute la matinée.
2. - L'après-midi, **nous avons visité** le musée du Louvre qui est très beau et très grand.
3. - **Nous avons vu** beaucoup de belles peintures, des sculptures, des meubles, etc.
4. - Il est naturellement impossible de tout voir en une après-midi.
5. - Nous comptons y retourner un soir pour admirer le magnifique éclairage intérieur.
6. - A 4 heures et demie, **nous sommes allés** acheter des cravates dans un charmant petit magasin de l'Avenue de l'Opéra.
7. - Ensuite, **nous avons téléphoné** à Caroline.
8. - **Nous** l'**avons invitée** à dîner avec sa sœur.
9. - **Nous avons mangé** à la Tour d'Argent qui est un magnifique restaurant.
10. - **Le maître d'hôtel** nous **a placés** près de la fenêtre.
11. - **Il** nous **a donné** une table pour 4 personnes.
12. - **Nous avons commandé** un bon repas.
13. - **Le garçon** nous **a apporté** des hors-d'œuvre, une omelette au jambon, du canard à l'orange, de la salade, du fromage et des fruits.
14. - **Le garçon a versé** dans nos verres un excellent vin blanc pour accompagner les hors-d'œuvre et du Bordeaux avec le canard.
15. - **Nous avons admiré** la belle vue que l'on a sur Paris de ce beau restaurant.
16. - **Nous avons payé** l'addition au garçon et **nous** lui **avons donné** 15 pour cent de pourboire.
17. - Ensuite, **nous avons appelé** un taxi.
18. - **Nous avons emmené** nos amies dans une discothèque.
19. - **Nous y avons dansé** jusqu'à minuit.
20. - Puis, **nous avons raccompagné** Caroline et sa sœur chez elles.

Remember

(Exception : **le** silence)

— ENCE — TION
— ANCE — SION } FEMININE

— MENT MASCULINE

Exercice A —
Complétez avec les articles "le, la, ou l'":
.... vengeance, ... mouvement, ... occupation, ... distance, ... nation, ... testament, ... appartement, ... réaction, ... agence, ... élément, ... fraction, ... monument, ... parlement, ... segment, ... situation, ... régiment, ... compartiment, ... civilisation, ... désappointement, ... **conférence,** .... équipement, ... **silence,** .... absence, ... création, ... intelligence, ... conséquence, ... **circulation.**

LA COMPARAISON

Exercice B — Comparaison de supériorité: plus .... que

Répétez ces phrases positivement puis interrogativement:

Ex: Est-ce que l'avion est plus rapide que le train?
L'avion est-il plus rapide que le train?

1. — L'avion est **plus** rapide **que** le train.
2. — Le cinéma est **plus** intéressant **que** la télévision.
3. — Le français est **plus** facile **que** le russe.
4. — Le beurre est **plus** cher **que** la margarine.
5. — La Chine est **plus** grande **que** l'Angleterre.
6. — Les jours sont **plus** courts en hiver **qu'**en été.
7. — Le mois de janvier est **plus** long **que** le mois de février.
8. — Le gâteau est **meilleur que** le pain. (irr.)

Comparaison d'infériorité: moins .... que

1. — Le train est **moins** rapide **que** l'avion.
2. — La télévision est **moins** intéressante **que** le cinéma.
3. — Le russe est **moins** facile **que** le français.

4. — La margarine est **moins** chère **que** le beurre.
5. — L'Angleterre est **moins** grande **que** la Chine.
6. — Les jours sont **moins** courts en été **qu'**en hiver.
7. — Le mois de février est **moins** long **que** le mois de janvier.
8. — Le pain est **moins** bon **que** le gâteau.

Exercice C — Complétez avec: "moins .... que" ou "plus .... que".

1. — Une minute est .... courte .... une heure.
2. — La pomme de terre est .... bonne .... le gâteau.
3. — Je suis .... riche .... Rockefeller.
4. — L'autobus est .... rapide .... l'avion.
5. — Le mois de juillet est .... long .... le mois de février.
6. — Le beurre est .... cher .... la margarine.
7. — Il fait .... froid à Nice .... à Paris.
8. — Paris est .... grand .... Rouen.

Exercice D — Complétez avec les adjectifs ci-dessous:

		singulier	-	pluriel
féminin	:	**toute**	—	**toutes**
masculin	:	**tout**	—	**tous**

1. - Il n'a pas travaillé .... la journée. 2. - Elle n'a pas mangé .... les gâteaux. 3. - Vous n'avez pas apporté .... le potage. 4. - Vous n'avez pas posé .... les questions. 5. - Vous n'avez pas visité .... les musées. 6. - Je n'ai pas donné .... les livres. 7. - Je n'ai pas payé .... mes dettes (f.). 8. - Je n'ai pas invité .... mes amis. 9. - Je n'ai pas coupé .... le pain. 10 - Nous n'avons pas accepté .... les invitations.

Exercice E — Ecrivez ces phrases négativement:

1. - Elle a dîné avec moi. 2. - Il a passé ses vacances au Canada. 3. - Il a beaucoup voyagé. 4. - Nous avons admiré le beau bateau. 5. - Nous avons visité le musée du Louvre. 6. - Nous avons accepté l'invitation. 7. - J'ai demandé l'addition. 8. - J'ai appelé Paul. 9. - J'ai apporté votre livre. 10. - J'ai téléphoné à mon frère. 11. - Vous avez payé vos dettes. 12. - Vous avez coupé tout le pain. 13. - Vous avez versé le vin rouge dans les verres. 14. - Elles ont préféré aller au concert. 15. - Ils ont répété leur leçon de français. 16. - Ils ont dansé jusqu'à minuit.

Hier, il a ...

... visité un musée,

... dîné avec son amie.

... dansé toute la soirée

et dormi toute la nuit comme un loir!

Exercice F — Mon, ton, son remplacent **ma, ta, sa,** devant une voyelle ou "h". **Faites l'exercice comme indiqué par** l'exemple.

Une assiette à soupe	:	**Mon** assiette à soupe, **son** assiette à soupe
Une petite assiette	:	**Ma** petite assiette, **sa** petite assiette.
Une automobile	:	....
Une belle automobile	:	....
Une absence	:	....
Une longue absence	:	....
Une orange	:	....
Une bonne orange	:	....
Une intelligence	:	....
Une grande intelligence	:	....
Une idée	:	....
Une bonne idée	:	....
Une entreprise	:	....
Une petite entreprise	:	....
Une eau de Cologne	:	....
Une bonne eau de Cologne	:	....
Une amie	:	....
Une vieille amie	:	....

Exercice G — Traduisez en français les phrases suivantes:

1. - *He prefers coffee; so do I.* 2. - *New York is the largest city in the United States.* 3. - *There are four rooms in my apartment.* 4. - *I am hungry.* 5. - *What time is it? It is* 4:30. 6. - *How old are you? I am* 20. 7. - *They never work on Sundays.* 8. - *Bread is good, chocolate is better.* 9. - *He is satisfied with his room.* 10. - *Bordeaux is not the capital of France; neither is Lille.* 11. - *The Opera is on your right, not on your left.* 12. - *Could you give me change for* 100 *frs?* 13. - *What is your address?* 14. - *The train is cheap, but the bus is cheaper.* 15. - *I drink only water.* 16. - *Is Paris large? Yes, but New York is larger.* 17. - *Is Lyons the capital of France? No, it is not.* 18. - *Are you hungry? No, I am not.*

REVISION

Exercice A — Apprenez par coeur les phrases suivantes:

1. - Vous préférez le thé; moi aussi. 2. - Est-ce que vous voyagez en avion? 3. - J'ai faim. 4. - Paris est plus grand que Rouen. 5. - Pourquoi préférez-vous habiter une grande ville? 6. - Parce qu'il y a beaucoup de théâtres et de cinémas. 7. - Combien de pièces y a-t-il dans votre appartement? 8. - Combien coûte une chambre d'hôtel à Paris? 9. - Savez-vous compter en français? — Oui, je sais. 10. - Mon appartement n'a que deux pièces. 11. - New York est la plus grande ville des Etats-Unis. 12. - Quelle heure est-il? Il est midi et demi. 13. - Quel âge avez-vous? — J'ai 20 ans. 14. - Je ne travaille jamais le dimanche. 15. - L'avion est très cher; l'autobus est bon marché. 16. - Je suis content(e) de ma chambre. 17. - Pourriez-vous me faire la monnaie de mille francs? 18. - Le pain est bon, le chocolat est meilleur. 19. - Le train est bon marché, l'autobus est meilleur marché. 20. - Marseille n'est pas la capitale de la France; Nice non plus.

Exercice B — Mettez au présent les verbes entre parenthèses:

1. - Nous (aimer) voyager en avion. 2. - La chambre d'hôtel ne (coûter) que cinquante francs. 3. - Je (dîner) à 7 heures un quart. 4. - Elle (désirer) visiter Paris. 5. - Est-ce que vous (habiter) à New York? Oui, j'y (habiter). 6. - Est-ce que vous (savoir) compter en français? Oui, je (savoir). 7. - Quelle (être) la capitale des Etats-Unis? La capitale des Etats-Unis (être) Washington. 8. - Est-ce que vous (manger) beaucoup? Non, je ne (manger) pas beaucoup. 9. - Le garçon (verser) du vin dans les verres. 10. - On (couper) le pain avec un couteau. 11. - Ils (demander) une table près de la fenêtre. 12. - Nous (donner) un pourboire au garçon. 13. - Est-ce que vous (avoir) faim? 14. - A quelle heure (arriver)-vous au bureau? J'(arriver) à neuf heures moins le quart. 15. - A quelle heure (prendre)-vous le métro? Je (prendre) le métro à neuf heures moins vingt-cinq. 16. - Quels jours (travailler)-vous? Je (travailler) le lundi, le mardi, le mercredi, le jeudi et le vendredi. 17. - Comment vous (appeler)-vous? Je m' (appeler) Henri. 18. - Quels fruits (préférer)-vous?

Exercice C — Complétez:

1. - New York est la plus grande .... des Etats-Unis. 2. - Nous ne travaillons jamais le .... et le .... 3. - Voyagez-vous en .... ou en ....? 4. - Je coupe mon pain avec un .... 5. - Elle verse du .... dans les verres.

6. - Combien coûte une .... d'hôtel? 7. - Il mange sa soupe avec une .... 8. - Combien de .... y a-t-il dans une semaine? Il y .... a 7. 9. - Je bois du .... au petit déjeuner. 10. - Combien de .... parlez-vous? J' .... parle 2.

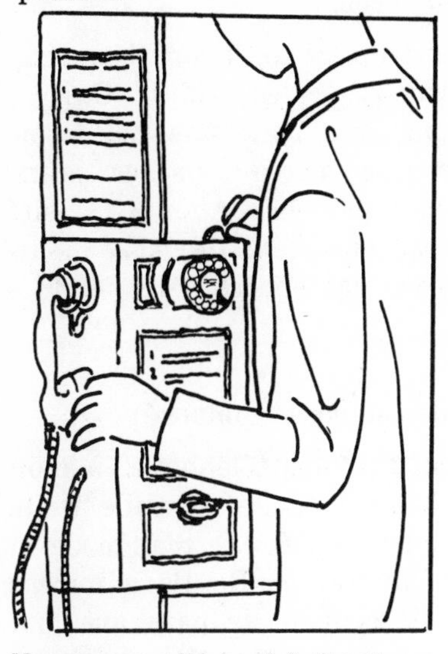

Nous avons téléphoné à Caroline.

Exercice D — Complétez avec "un, une ou **des":**

.... garage, ... références, ... nature, ... financement, ... licence, ... télévision, ... température, ... fromage, ... aventure, ... **figure,** .... brochure, ... transaction, ... signature, ... remboursement, ... ignorance, ... passages, ... page, ... division, ... **injures,** .... avantage, ... culture, ... conclusion, ... instruments, ... cure, ... **vulgarisation,** .... bagages, ... remplacement, ... transmission, ... importance, ... précision, ... **figure,** .... courage.

Exercice E — Remplacez les mots en gras par "en" placé avant le verbe.

Ex.: Gagnez-vous **de l'argent**? — **En** gagnez-vous?
Oui, j'**en** gagne, non, je n'**en** gagne pas.

1. - Donnez-vous **des fleurs** à votre amie? 2. - Buvez-vous **de la bière**? 3. - Prenez-vous **du sucre** dans votre café? 4. - Mangez-vous **de la soupe pour** dîner? 5. - Avez-vous beaucoup **de livres français**? 6. - Versez-vous **du vin** dans les verres? 7. - Avez-vous visité beaucoup

de musées? 8. - Il y a beaucoup **d'autos** dans la rue. 9. - Il y a 12 mois dans une année. 10. - Il y a 24 **heures** dans un jour.

Exercice F — Complétez avec le sujet du verbe.

1. - A-t .... coupé le pain? 2.- .... mangez trop. 3. - .... avons beaucoup de livres. 4. - ....m'appelle Marie. 5. - Aimez-....les fruits? Oui, ... les aime beaucoup. 6. - .... ne travaillent pas. 7. - ....sais ma leçon. 8. - .... a invité ses amis. 9. - ....prenons le métro tous les jours. 10. - Ont-.... appelé le garçon? .... ne sais pas. 11. - Avez- .... visité le musée du Louvre? Non, ... ne l'ai pas encore visité. 12. - .... arrivent à 8 heures un quart. 13. - ....n'avons pas encore déjeuné. 14. - .... boit son café. 15. - ....prend son dîner.

Exercice G — Mettez les phrases suivantes au passé composé:

1. - Vous passez vos vacances en France. 2. - Vous téléphonez à mon frère. 3. - Vous aimez cette pièce de théâtre. 4. - Je travaille toute la journée. 5. - Je verse du vin dans mon verre. 6. - Je mange de la viande pour dîner. 7. - Elles acceptent l'invitation. 8. - Ils admirent les animaux du jardin zoologique. 9. - Ils coupent le pain avec un bon couteau. 10. - Elles dansent avec leurs amis. 11. - Nous visitons le musée du Louvre. 12. - Nous donnons un pourboire au garçon. 13. - Nous désirons prendre l'avion. 14. - Je demande une table près de la fenêtre. 15. - Vous préférez voyager en bateau. 16. - Elle gagne de l'argent. 17. - Ils déjeunent à 7 heures ½. 18. - Je signe la lettre.

Exercice H — Traduisez les phrases suivantes:

1. - *Where do you live?* 2. - *I live in New York, but I spend my vacation in France.* 3. - *Do you go to France by boat or by plane?* 4. - *I prefer traveling by plane.* 5. - *Why do you prefer a plane?* 6. - *I prefer a plane because it is faster; and it is also cheaper.* 7. - *I also prefer a plane. I never take a ship.* 8. - *At what time do you take the plane?* 9. - *I take the plane at* 12:30 *PM, but I take the bus at* 11:15 *AM.* 10. - *Do you have a good hotel in Paris?* 11. - *Yes, I am satisfied with my hotel.* 12. - *How much is a room with bath in your hotel?* 13. - 35 *francs per day, plus* 5 *francs for breakfast.* 14. - *How many rooms are there in your hotel, do you know?* 15. - *I do not know.* 16. - *Why do you like spending your vacation in Paris? Because there are many theaters and cafes.* 17. - *Is Paris large? Yes, but New York is larger.* 18. - *Is*

Lyons the capital of France? No, it is not. 19. - *Are you hungry? No, I am not.*

Exercice I — Lisez les nombres suivants: 1) verticalement 2) horizontalement:

Dizaine		soixante		quatre-vingts:				
10	....	70	....	90	:	116	:	10.791
14	....	74	....	94	:	615	:	6.016
18	....	78	....	98	:	21	:	66
11	....	71	....	91	:	31	:	39
16	....	76	....	96	:	41	:	52
13	....	73	....	93	:	51	:	25
19	....	79	....	99	:	61	:	47
15	....	75	....	95	:	71	:	633
12	....	72	....	92	:	81	:	100
17	....	77	....	97	:	91	:	1.802

L'Opéra

GRAMMAR

ARTICLES

SINGULAR				PLURAL
Masculine		**Feminine**		**Masc. & Fem.**
Le	L' before vowels	**La**	L' before vowels	**Les**
Un		**Une**		**Des**
Du	De l' before vowels	**De la**	De l' before vowels	**Des**
Au	à l' before vowels	**à la**	à l' before vowels	**Aux**

Examples	MASCULINE	FEMININE
Singular:	**Le** voyage, l'avion	**La** maison, l'occasion
Plural :	**Les** voyages, **les** avions	**Les** maisons, **Les** occasions
Singular:	**Un** voyage, **un** avion	**Une** maison, **Une** occasion
Plural :	**Des** voyages, **Des** avions	**Des** maisons, **Des** occasions
Singular:	Vous mangez **du** pain	Vous mangez **de la** salade
	Vous mangez **de** l'avocat	Vous buvez **de** l'eau
Plural :	Vous mangez **des** fruits	Vous mangez **des** oranges
Singular:	Vous allez **au** théâtre	Vous allez **à la** maison
	Vous allez **à** l'opéra	Vous allez **à** l'école
Plural :	Téléphonez **aux** messieurs	Téléphonez **aux** dames

PLURAL OF NOUNS AND ADJECTIVES

ADD S TO FORM THE PLURAL OF NOUNS AND ADJECTIVES
But do not pronounce it: Le bon fromage — Les bons fromages

GENDER OF NOUNS

MASCULINE ENDINGS: Suffix	AGE	Le fromage, le voyage
	MENT	Le moment, le mouvement
FEMININE ENDINGS :	URE	La lecture, la fracture
	ENCE / ANCE	La violence, la chance Exception: Le silence
	TION SION	La situation, la mission

NAMES OF COUNTRIES ARE feminine when ending with e
Ex: La Belgique, l'Italie
Exception: **Le** Mexique

otherwise masculine
Ex: Le Portugal, le Chili

FOR "IN" or "TO" USE:

— à before names of cities
Ex: Je suis **à** Paris, je vais **à** Chicago

— en before names of feminine countries
Ex: Je suis **en** France, je vais **en** Belgique.

— au before names of masculine countries
Ex: Je suis **au** Canada, je vais **au** Canada.

VERBS

PRESENT TENSE

VERBS ENDING WITH ER IN THE INFINITIVE

are very numerous and are all regular with the exception of "Aller".

DONNER

Affirmative	Negative	Interrogative
Je donne	Je ne donne pas	Est-ce que je donne?
Tu donnes	Tu **ne** donnes **pas**	**Est-ce que** tu donnes?
Il, elle, on donne	Il, elle, on **ne** donne **pas**	**Est-ce qu'**il donne?
Nous donnons	Nous **ne** donnons **pas**	**Est-ce que** nous donnons?
Vous donnez	Vous **ne** donnez **pas**	**Est-ce que** vous donnez?
Ils, elles donnent	Ils, elles **ne** donnent **pas**	**Est-ce qu'**ils donnent?

NOTE: 1) Je donne, Tu donnes, Il donne, Ils donnent — Although written differently, have an identical PRONUNCIATION. The person involved is determined by the pronoun.
DO NOT USE je, tu, il, ils,
WITHOUT A VERB

2) In the interrogative, place **Est-ce que** (**est-ce qu'** before vowels) before both affirmative or negative forms:
Ex: Est-ce qu'il parle français?
Est-ce qu'il ne parle pas français?

LEÇON 10

PRÉSENT	PASSÉ COMPOSÉ	
Avoir	**Affirmative**	**Negative**
J'ai	J'ai **donné**	Je **n'ai pas** donné
Tu as	Tu as **donné**	Tu **n'as pas** donné
Il a	Il a **donné**	Il **n'a pas** donné
Nous avons	Nous avons **donné**	Nous **n'avons pas** donné
Vous avez	Vous avez **donné**	Vous **n'avez pas** donné
Ils ont	Ils ont **donné**	Ils **n'ont pas** donné

NOTE: 1) Same pronunciation for: **Donner** (to give) = **donné** (given) = vous **donnez** (You give)

2) To form **Passé Composé**, add the past participle of the verb to the present tense of "Avoir".

DEMONSTRATIVE ADJECTIVES

Masculine :	**CE** , **CET** before vowels	Ex: **Ce** matin, **cet** avion.
Feminine :	**CETTE**	Ex: **Cette** maison.
Plural :	**CES**	Ex: **Ces** avions, **ces** maisons.

DEUXIÈME PARTIE

« Apprendre une langue étrangère, c'est créer en soi un automatisme nouveau ».

Charles Bruneau

Onzième (11ème) leçon

VOULEZ-VOUS PRENDRE UN VERRE ?

1. - Voilà un excellent Cognac. **En** voulez-vous?
2. - Avec plaisir. Mettez-m'**en** deux doigts, s'il vous plaît.
3. - Et vous, Henri, voulez-vous **en** goûter?
4. - Je veux bien **en** prendre deux doigts, **moi aussi**.
5. - **Personne ne** va refuser un peu de Cognac.
6. - **Moi**, je préfère le Cognac à l'apéritif. Je n'aime pas le vermouth.
7. - **Moi non plus. Personne ne** préfère le vermouth au Cognac.
8. - **Vous non plus**, n'est-ce pas Henri?
9. - C'est bien vrai. Mais tout le monde n'a pas le même goût.
10. - Par exemple, mon frère et ma belle-sœur **n'**aiment **que** le Calvados.
11. - Elle n'aime pas le Cognac et **lui non plus**.
12. - A qui est ce verre à moitié vide ? Est-il à vous?
13. - Il n'est pas **à moi**, il **est à lui**, je crois.
14. - Non, il n'est pas **à lui**, il est **à** elle.
15. - Qui veut boire un deuxième verre **avec moi**?
16. - Mais tout le monde veut bien, n'est-ce pas? **Moi, lui, elle, toi,** nous tous bien sûr, nous avons soif.
17. - Attention, ne prenez pas ce verre, **il est à moi**, ni ces gâteaux, ils **sont à eux**.
18. - **Il y en a** dans cette assiette bleue, prenez-**en**, ils sont très bons.
19. - Maintenant, allons **chez moi**, il y a aussi à manger et à boire et, de plus, j'ai de beaux disques.
20. - Non, Henri a un plus grand appartement, allons **chez lui**.

Personne n'aime aller chez le dentiste.

LEÇON 11

PRONOMS TONIQUES

Sans verbe

(je)	**Moi**	aussi	(je)	**Moi**	non plus
(tu)	**Toi**	aussi	(tu)	**Toi**	non plus
(il)	**Lui**	aussi	(il)	**Lui**	non plus
	Elle	aussi		**Elle**	non plus
	Nous	aussi		**Nous**	non plus
	Vous	aussi		**Vous**	non plus
(ils)	**Eux**	aussi	(ils)	**Eux**	non plus
	Elles	aussi		**Elles**	non plus

Après une préposition

pour **moi**	avec **moi**	chez **moi**	à **moi** (1)
pour **toi**	avec **toi**	chez **toi**	à **toi**
pour **lui**	avec **lui**	chez **lui**	à **lui**
pour **elle**	avec **elle**	chez **elle**	à **elle**
pour **nous**	avec **nous**	chez **nous**	à **nous**
pour **vous**	avec **vous**	chez **vous**	à **vous**
pour **eux**	avec **eux**	chez **eux**	à **eux**
pour **elles**	avec **elles**	chez **elles**	à **elles**

(1) Après le verbe « être » = belongs to. Ex.: « Ce chapeau est à moi ».

Exercice A — Remplacez "moi" par 1) lui, 2) eux (à faire oralement).

1. — Vous avez pris un taxi — moi aussi.
2. — Vous n'avez pas pris de taxi — moi non plus.
3. — Vous savez danser — moi aussi.
4. — Vous ne savez pas danser — moi non plus.
5. — Vous êtes arrivé à l'heure — moi aussi.
6. — Vous n'êtes pas arrivé à l'heure — moi non plus.
7. — Je suis chez moi.
8. — Qui a téléphoné ? — Moi.
9. — Qui veut du gâteau ? — Moi.
10. — A qui sont ces gants ? — Ils sont à moi.

11. — A qui sont ces livres ? — Ils sont à moi.
12. — A qui est cette maison ? — Elle est à moi.
13. — A qui est ce chapeau ? — Il est à moi.
14. — Avec qui parlez-vous ? — Avec moi ?
15. — Pour qui achetez-vous ces fleurs ? Pour moi ?

LE GENRE — Les mots terminés par **-eau sont masculins**[1] ; **ajoutez x** au **pluriel.**

Le chapeau	Les chapeaux	Le couteau neuf	Les couteaux neufs
Le cadeau	Les cadeaux	Le bon gâteau	Les bons gâteaux
Le morceau	Les morceaux	Le grand bureau	Les grands bureaux
Le bateau	Les bateaux	Le beau château	Les beaux châteaux

1) **Exceptions:** l'eau, la peau.

Exercice B — Traduisez en français:

1. - *Whose gloves are these? Are they yours?* 2. - *They are not mine, they are his.* 3. - *I like wine, so does he.* 4. - *I do not like fish; neither do they.* 5. - *Whose book is this? Is it hers or his?* 6. - *I have wine for him and chocolate for her.* 7. - *This exercise is difficult for me and for them.* 8. - *I am going to the restaurant with them.* 9. - *I am late. So is she, and so are you.* 10. - *He is not late; neither am I.*

CONJUGAISON

PRENDRE

PRESENT		PASSE COMPOSE	
Je prends	**Nous prenons**	**J'ai pris**	Nous avons pris
Tu prends	Vous prenez	Tu as pris	Vous avez pris
Il prend	**Ils prennent**	Il a pris	Ils ont pris

Conjuguez de la même manière tous les verbes terminés par **prendre.** Ex.: Sur**prendre**: Je sur**prends**, j'ai sur**pris.**

LEÇON 11

Exercice C — Remplacez "il" par: 1) nous, 2) elles.

1. - Il prend une décision.	**— Il a pris une décision.**
2. - Il prend son dîner à 8 h.	**— Il a pris son dîner à 8 h.**
3. - Il comprend le problème.	**— Il a compris le problème.**
4. - Il apprend la leçon.	**— Il a appris la leçon.**

Personne ... ne = Nobody, no one.

Ex.: **Personne ne** travaille le dimanche.
Personne n'est en retard aujourd'hui.
Personne de ma famille **ne** sait l'anglais.
Personne au monde **n'**est éternel.

Exercice D — 1) Répétez les phrases suivantes et apprenez-les par coeur.
2) Couvrez la 2ème colonne et remplacez "je" par "nous".
3) Couvrez la lère colonne et remplacez "nous" par "je".

1. - Je vais au restaurant.	- Nous allons au restaurant.
2. - Je sais danser.	- Nous savons danser.
3. - Je prends un taxi.	- Nous prenons un taxi.
4. - J'ai pris le train à deux heures et demie.	- Nous avons pris le train à deux heures et demie.
5. - J'ai surpris mon frère et ma soeur.	- Nous avons surpris notre frère et notre soeur.
6. - Je suis arrivé à midi ½.	- Nous sommes arrivés à midi ½.
7. - Je suis allé au théâtre.	- Nous sommes allés au théâtre.
8. - Moi aussi, je suis invité à dîner.	- Nous aussi, nous sommes invités à dîner.
9. - Je suis en retard.	- Nous sommes en retard.
10. - Je suis resté chez moi hier soir.	- Nous sommes restés chez nous hier soir.

Exercice E: Lisez: huit fois huit font soixante-quatre (8 × 8 = 64)
8 × 6 = 48 8 × 9 = 72 8 x 3 = 24
six fois six font trente-six (6 × 6 = 36)
6 × 3 = 18 6 × 9 = 54 6 × 7 = 42
Cinq fois cinq font vingt-cinq (5 × 5 = 25)
5 × 9 = 45 5 × 4 = 20 5 × 2 = 10

Le bon gâteau.

— Il en a pour son argent.

PRONONCIATION: L'ACCENT GRAVE (`)

On met l'accent grave (`) et non l'accent aigu (´) sur la lettre « e » devant une syllabe muette. Prononcez « è » comme dans « pair ».

le père	la mère	complète
le succès	la diète	entière
le mètre	la bière	première
le progrès	la pièce	chère
le modèle	la planète	il préfère
le problème	la thèse	ils se lèvent

NOTE: Placed on "a" or "u" accent grave does not alter the pronunciation and serves only to differentiate the meaning: où (where) - ou (or) — là (there) - la (the) — à (at) - il a (has).

Douzième (12ème) leçon

LE PETIT DEJEUNER

1. — Il est huit heures moins le quart. François et Martine s'habillent pour aller au bureau.
2. — Martine met son pantalon bleu marine et son chandail rouge.
3. — François met son costume marron et sa cravate jaune.

Le déjeuner du matin.

4. — Ils vont à la cuisine pour préparer leur petit déjeuner.
5. — Ils mettent sur la table leurs tasses, leurs assiettes, leurs cuillères et leurs couteaux.
6. — Ils apportent le café, du lait, du sucre, du pain et du beurre.
7. — Notre petit déjeuner est prêt, dit Martine ; mettons-nous à table.
8. — Ils boivent leur café bien chaud. Martine mange un oeuf sur le plat.
9. — François qui a bon appétit prend deux oeufs brouillés.
10. — Quelquefois ils prennent des croissants pour le petit déjeuner.
11. — Ils mettent aussi quelquefois de la confiture de groseilles ou du miel sur leurs tartines.
12. — Ma serviette est sale, dit François, passe-moi une serviette propre, s'il te plaît, Martine.
13. — Prends une serviette en papier, dit Martine, et dépêche-toi ; nous allons être en retard.
14. — Ce couteau coupe bien, dit François ; je me suis coupé le doigt en coupant mon pain.
15. — Maladroit ! Tu as pris ta main pour ton pain ?
16. — François regarde sa montre. Il est huit heures et demie.
17. — Il est tard. Allons-nous-en pour ne pas arriver en retard.
18. — Il fait froid ; Martine met son manteau d'hiver, ses bottes fourrées et ses gants.

19. — Prenons aussi nos écharpes de laine, dit François.
20. — Ils s'en vont en courant pour prendre leur autobus.
21. — Ils vont arriver à leur bureau à l'heure.

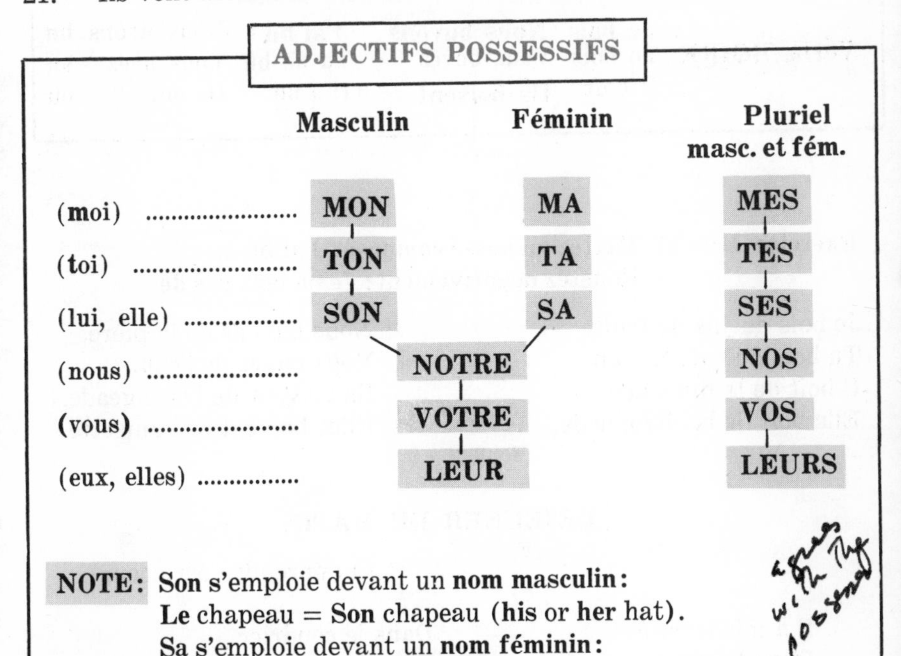

ADJECTIFS POSSESSIFS

	Masculin	Féminin	Pluriel masc. et fém.
(moi)	MON	MA	MES
(toi)	TON	TA	TES
(lui, elle)	SON	SA	SES
(nous)	NOTRE		NOS
(vous)	VOTRE		VOS
(eux, elles)	LEUR		LEURS

NOTE: **Son** s'emploie devant un **nom masculin**:
Le chapeau = **Son** chapeau (**his** or **her** hat).
Sa s'emploie devant un **nom féminin**:
La main = **Sa** main (**his** or **her** hand).

Exercice A —

1) **Répétez ces phrases oralement.**
2) **Mettez les noms en gras au pluriel.**

1. - Je mange **mon gâteau.**
2. - Elle prend **son chapeau.**
3. - Il a pris **sa cravate.**
4. - Vous prenez **votre valise.**
5. - Vous donnez **votre livre.**
6. - Ils savent **leur leçon.**
7. - Elle aime **son frère.**
8. - Nous invitons **notre cousin.**

1) **Répétez ces phrases oralement.**
2) **Répétez-les en remplaçant "il" par a) elle, b) ils.**

1. - Il prend sa montre.
2. - Il a pris sa valise.
3. - Il mange ses raisins.
4. - Il coupe son pain.
5. - Il apporte son livre.
6. - Il aime sa soeur.
7. - Il passe son temps à rêver.
8. - Il comprend sa leçon.

b

CONJUGAISON	Présent		Passé Composé	
Verbe BOIRE	Je bois	Nous buvons	J'ai bu	Nous avons bu
	Tu bois	Vous buvez	Tu as bu	Vous avez bu
	Il boit	Ils boivent	Il a bu	Ils ont bu

Exercice B — 1) Mettez au passé composé: J'ai bu ....
2) Répétez négativement: Je ne bois **pas de**

Je bois du jus de fruit.
Tu bois du café au lait.
Il boit de la limonade.
Elle boit de la citronnade.
Nous buvons de la bière.
Vous buvez de l'eau.
Ils boivent de l'orangeade.
Elles boivent de l'anisette.

DEJEUNER DU MATIN

(à apprendre par coeur)

Il a mis le café
Dans la tasse
Il a mis le lait
Dans la tasse de café
Il a mis le sucre
Dans le café au lait
Avec la petite cuiller
Il a tourné
Il a bu le café au lait
Et il a reposé la tasse
Sans me parler
Il a allumé
Une cigarette
Il a fait des ronds
Avec la fumée
Il a mis des cendres
Dans le cendrier
Sans me parler
Sans me regarder
Il s'est levé
Il a mis
Son chapeau sur sa tête
Il a mis
Son manteau de pluie
Parce qu'il pleuvait
Et il est parti
Sous la pluie
Sans une parole
Sans me regarder
Et moi j'ai pris
Ma tête dans ma main
Et j'ai pleuré.

Jacques Prévert (1900-)

CONJUGAISON	**VERBE ALLER**
Présent	**Futur immédiat**
Je vais à la maison	Je **vais** arriver en retard
Tu vas à la maison	Tu **vas arriver** en retard
Il va à la maison	Il **va arriver** en retard
Nous allons à la maison	Nous **allons arriver** en retard
Vous allez à la maison	Vous **allez arriver** en retard
Ils vont à la maison	Ils **vont arriver** en retard

Exercice C — 1) **Mettez les phrases suivantes au futur immédiat:**
Ex.: Je dîne chez moi — Je vais dîner chez moi.
2) **Remplacez "je" par:** a) il, b) elles.
Ex.: Il dîne chez lui — Il va dîner chez lui.

1. - Je mange ma soupe. 2. - Je prends (prendre) mon petit déjeuner. 3. - J'invite ma cousine au théâtre. 4. - J'apprends (apprendre) ma leçon. 5. - Je mets (mettre) mon manteau. 6. - Je mange mes raisins. 7. - Je travaille jusqu'à six heures et demie. 8. - Je prends une importante décision. 9. - Je donne un pourboire au garçon. 10. - Je bois (boire) du jus de fruit.

Chanson populaire française:

Boire un petit coup,
c'est agréable,

Boire un petit coup,
c'est doux,

Mais il ne faut pas
rouler dessous la table.

Exercice D — Remplacez "Il y a . . . que" par "depuis":

Ex.: **Il y a** 6 mois **que** j'apprends le français.
J'apprends le français depuis 6 mois.

Il y a

1. 3 ans **qu**'il travaille avec nous.
2. 2 jours **qu**'il est malade.
3. longtemps **qu**'elle habite Paris.
4. 10 ans **que** je suis directeur.
5. plusieurs mois **que** je travaille.
6. une heure **qu**'il vous attend.
7. des années **qu**'ils sont partis.
8. peu de temps **que** la maison est vendue.
9. une semaine **que** je suis revenu.
10. 10 minutes **que** le train est arrivé.

Exercice E — 1) Répétez les phrases suivantes au passé composé a) affirmativement, b) négativement.
2) Remplacez “je” par a) nous, b) elles.

1. - Je téléphone à ma soeur. 2. - Je prends le train pour Paris. 3. - Je travaille jusqu'à six heures moins le quart. 4. - Je comprends votre point de vue. 5. - J'apprends ma leçon. 6. - Je bois un bon vin blanc. 7. - Je parle français toute la journée. 8. - J'invite ma nièce au théâtre. 9. - Je mets un costume gris. 10. - Je prends le livre de Jean.

CONJUGAISON

VERBE ÊTRE

Présent

Je suis
Tu es
Il est
Elle est
Nous sommes
Vous êtes
Ils sont
Elles sont

VERBE ALLER

Passé Composé

Je suis allé
Tu es allé
Il est allé
Elle est allée
Nous sommes allés
Vous êtes allés
Ils sont allés
Elles sont allées

VERBE S'EN ALLER

Présent

Je m'en vais	**Je ne m'en vais pas**
Tu t'en vas	**Tu ne t'en vas pas**
Il s'en va	**Il ne s'en va pas**
Nous nous en allons	**Nous ne nous en allons pas**
Vous vous en allez	**Vous ne vous en allez pas**
Ils s'en vont	**Ils ne s'en vont pas**

Je me en vais —
(from here to there)

Treizième (13ème) leçon

UNE JOURNÉE AU BUREAU

1. - Alice **s'est levée** très tôt ce matin.
2. - Elle **est sortie** à 8 heures et demie et elle **est arrivée** au bureau à 9 heures.
3. - La standardiste **lui** a dit bonjour et le facteur **lui** a apporté le courrier.
4. - Quand le directeur **est arrivé**, Alice **lui** a apporté son courrier déjà ouvert.
5. - Il **lui** a dicté les réponses et **lui** a parlé des clients qu'il attend dans la journée.
6. - Hier, Alice **est restée** 2 heures dans le bureau du patron parce qu'il y avait beaucoup de courrier.
7. - Elle **n'est partie** du bureau **qu**'à 6 heures au lieu de 5 h.
8. - Elle **n'est pas allée** à son cours de danse parce qu'elle **n**'en avait **plus** le temps.
9. - Elle n'a pas eu non plus le temps de donner un coup de fil à son fiancé. Quel dommage!
10. - Elle aime bien **lui** téléphoner parce qu'elle a toujours beaucoup de choses à **lui** dire et à **lui** demander.
11. - Avant-hier, le 16 juin, pour son anniversaire, il **lui** a offert une bague et un flacon de parfum.
12. - Sa sœur **lui** a donné une paire de gants et son beau-frère **lui** a apporté des fleurs. Le soir, ils l'ont emmenée au théâtre.
13. - Son père **lui** a envoyé une montre en or qui **lui** rendra service.
14. - Même son patron a été généreux; il **lui** a fait un chèque et **lui** a donné congé l'après-midi.

15. - Ses collègues du bureau **lui** ont acheté un gâteau et une bouteille de vin.
16. - Tous ces cadeaux **lui** ont fait grand plaisir et elle a remercié tout le monde.
17. - Mais bientôt elle **n'**ira **plus** au bureau ; quand elle sera diplomée, elle deviendra professeur.

Ils se rendent à leur bureau.

Exercice A: Remplacez « Je » par : a) « Elle » b) « Nous » c) « Ils »

1. - Je **n'**ai **rien** bu, **ni** thé, **ni** café.
2. - Je **n'**ai **rien** pris ce matin.
3. - Je **n'**ai **rien** compris à la leçon.
4. - Je **n'**ai **rien** fait aujourd'hui.
5. - Je **ne** lui ai **rien** donné.
6. - Je **ne** lui ai **rien** envoyé.
7. - Je **ne** lui ai **rien** apporté.
8. - Je **ne** lui ai **rien** dit.

LEÇON 13

Exercice B — 1) Répétez ces phrases oralement, positivement et négativement.
2) Remplacez "je" par a) nous, b) vous, c) elles.

1. - Je suis resté chez moi hier.
2. - Je suis allé à Paris il y a 1 an.
3. - Je suis arrivé à comprendre.
4. - Je suis parti pour l'Italie.
5. - Je suis tombé malade.
6. - Je suis rentré chez moi.
7. - Je suis né à Paris.
8. - Je suis sorti tôt.
9. - Je suis venu les voir.
10. - J'y suis retourné 3 fois.

Exercice C — Répétez les phrases suivantes

a) négativement (oralement), b) interrogativement
c) au singulier (par écrit).

1. - Ils boivent leur chocolat (m).
2. - Ils prennent leurs gants (m).
3. - Ils savent leur leçon (f).
4. - Ils mettent leurs manteaux (m).
5. - Ils ont peur de leur ombre (f).
6. - Ils ont bu leur bière (f).
7. - Ils ont mis leurs chapeaux (m).
8. - Ils ont su leur poésie (f).
9. - Ils ont pris leurs livres (m).
10. - Ils sont partis avec leur ami (m).

Exercice D — Ecrivez les mots abrégés et lisez le texte oralement.

Mlle Durand commence sa conférence en disant: M. le Président, Mmes, Mlles, MM., je vais parler aujourd'hui d'un écrivain du XVIIe siècle, Mme de La Fayette. Cette dame est l'auteur d'un roman **célèbre** qui raconte la touchante histoire d'une grande dame du temps de Louis XIV, la Princesse de Clèves.

Question: Quand dit-on "dame" au lieu de "madame"? Est-ce la même chose pour "Mademoiselle" et "monsieur"?

Exercice E — 1) Remplacez les mots entre parenthèses par "lui" (to him or to her): Il fait peur à Paul ou à Marie: Il lui fait peur.

2) Remplacez "il" par a) nous, b) vous.

1. — Il .... donne une montre (à Louis ou à Catherine).
2. — Il .... offre des fleurs (à son père ou à sa mère).
3. — Il .... parle (à son cousin ou à sa cousine).
4. — Il .... apporte l'addition (au client ou à la cliente).
5. — Il .... téléphone (à Pierre ou à Jeanne).
6. — Il .... apporte un cadeau (à son fils ou à sa fille).
7. — Il .... a envoyé une lettre (à son frère ou à sa soeur).
8. — Il .... a fait plaisir (à son ami ou à son amie).
9. — Il .... a fait un cadeau (à François ou à Yvonne).
10. — Il .... a enseigné le français (à un étudiant ou à une étudiante).
11. — Il .... a posé une question (à un ou à une élève).
12. — Il .... a versé du vin (à un invité ou à une invitée).
13. — Il .... a passé du pain (à Olivier ou à Jeanne).
14. — Il .... a dit bonjour (au monsieur ou à la dame).

LE GENRE — Les noms terminés par **"ette"** sont **féminins** excepté: **le squelette.** Ce suffixe exprime souvent un diminutif facilement identifiable: la maisonnette = la petite maison.

La manche	- La manchette	Le cigare	- La cigarette
La cloche	- La clochette	Le casque	- La casquette
La fille	- La fillette	Un opéra	- Une opérette
La fleur	- La fleurette	La fourche	- La fourchette
La chaîne	- La chaînette	La broche	- La brochette
La lune	- La lunette	La langue	- La languette

Exercice F — Complétez avec un adjectif possessif (mon, ma, mes).

1. - J'ai mis .... chaussures et .... manteau. 2. - Elle aime .... appartement et .... auto. 3. - Elle a pris .... petit déjeuner à huit heures et demie. 4. - Il a mangé .... fromage, ... confiture et .... fruits. 5. - Ils ont bu .... café bien chaud. 6. - Elles ont envoyé une lettre à .... père. 7. - Avez-vous appris .... leçons? 8. - Vous avez bien su .... poésie. 9. - Nous aimons .... bureau. 10. - Il téléphone à .... soeur.

L'ACCENT CIRCONFLEXE (ˆ) — **Cet accent remplace généralement un "s". Il s'écrit sur â, ê, î, ô, û.**

Comparez les mots suivants avec l'anglais:
La forêt, l'hôpital, l'intérêt, la conquête, la tempête, la fête, l'hôtesse, l'ancêtre, la bête, la côte, honnête, l'enquête, le rôti.

NOTE: **Sur la lettre "e", l'accent circonflexe se prononce comme l'accent grave; sur les autres voyelles, il modifie rarement la prononciation.**

Il lui présente sa belle-mere.

Quatorzième (14ème) leçon

NE SOYEZ PAS EN RETARD [1]

1. - Mademoiselle, dit le chef de rayon, il est neuf heures dix; le magasin ouvre à neuf heures précises; vous êtes en retard.
2. - Excusez-moi Madame.
3. - Est-ce que votre montre retarde?
4. - Mais non, Madame, elle est à l'heure.
5. - Alors, **vous vous levez sans doute** [2] trop tard. A quelle heure **vous levez-vous**?
6. - **Je me lève** à huit heures moins le quart.
7. - Que faites-vous donc entre huit heures moins le quart et neuf heures?
8. - Oh! Je fais ma toilette rapidement.
9. - Rapidement?
10. - Oui, je prends un bain (ou une douche), si j'en ai le temps, ou **je me lave** simplement le visage et les mains. **Je me brosse** les dents, **je me** coiffe et **je me maquille** en cinq minutes.
11. - Ensuite, **je m'habille, je me chausse**. Puis, je déjeune et **je m'en vais** en courant.
12. - Pourquoi en courant?
13. - Parce que, en général, il est déjà neuf heures moins le quart et que je ne suis pas en avance.
14. - Dans ce cas, pourquoi ne **vous réveillez-vous** pas plus tôt?
15. - Je suis trop fatiguée pour **me réveiller** à sept heures et demie.
16. - Peut-être **vous couchez-vous** trop tard? A quelle heure **vous couchez-vous**?
17. - **Je me couche** à onze heures un quart. Mais **je me repose** entre sept et huit heures, après avoir pris mon dîner.
18. - Eh bien, avancez votre montre et faites votre possible pour arriver à l'heure dorénavant.
19. - Je vais **m'efforcer** d'arriver à l'heure, je vous le promets. Je vais tout de suite remonter ma montre et l'avancer.

NOTE: (1) Le train a du retard. Le concert commence avec du retard. Une personne est en retard. Une personne arrive en retard.

(2) Sans doute = probablement.

"Une horloge"

— Elle prend son temps, elle n'est pas pressée. (Elle ne se dépêche pas).

— Il est pressé ; il monte l'escalier quatre à quatre. (Il se dépêche).

PRONONCIATION **qu** (= k)

le ban**qu**et	la **qu**alité	prati**qu**e	le Mexi**qu**e
le **qu**artier	la consé**qu**ence	**qu**itter	**qu**atorze
le **qu**art	la **qu**estion	magi**qu**e	**qu**inze
le ris**qu**e	la **qu**inine	uni**qu**e	épidémi**qu**e
le dis**qu**e	la **qu**antité	classi**qu**e	consé**qu**ent

CONJUGAISON **SE LAVER** forme pronominale

Affirmatif	Négatif	Interrogatif
Je **me** lave	Je ne **me** lave pas	Est-ce que je **me** lave?
Tu **te** laves	Tu ne **te** laves pas	**Te** laves-tu?
Il **se** lave	Il ne **se** lave pas	**Se** lave-t-il?
Nous **nous** lavons	Nous ne **nous** lavons pas	**Nous** lavons-nous?
Vous **vous** lavez	Vous ne **vous** lavez pas	**Vous** lavez-vous?
Ils **se** lavent	Ils ne **se** lavent pas	**Se** lavent-ils?

LEÇON 14

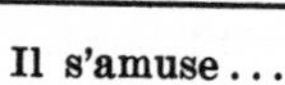

Il s'amuse...

...mais ça n'amuse pas le chat!

Exercice A (Oral):

1) Mettez les phrases suivantes à la forme négative.

2) Remplacez « je me » par a) « nous nous », b) « il se ».

Je me {
1) brosse les dents 2 fois par jour.
2) lave les mains 10 fois par jour.
3) rase tous les jours.
4) coiffe avec un peigne.
5) réveille tôt tous les matins.

Je m' {
6) en vais à 8 heures.
7) habille vite.
8) appelle Legrand.
9) amuse beaucoup.
10) étonne de vous voir ici.

Exercice B: Refaire l'exercice E, leçon 13:

a) négativement: « Il ne lui donne pas de livre »

b) interrogativement: « Lui donne-t-il un livre? »

Exercice C: Traduisez les phrases suivantes.

1. - This book is mine. 2. - I like music very much; so does he. 3. - He never takes the subway; neither do I. 4. - She has a green coat and a white hat. 5. - Her son is a charming young man. 6. - He brings her the check. 7. - I gave him a present. 8. - She is going to have her breakfast. 9. - What is his name? 10. - I like my French book. 11. - I leave at 12:30. 12. - I wake up early.

Exercice D: Faites l'exercice E, leçon 13, en remplaçant « lui » par « me ».

PRONOMS PERSONNELS (OBJET DIRECT)

Exercice E: Remplacez les mots entre parenthèses par:

« le » (l') pour le masculin
« la » (l') pour le féminin
« les » pour le pluriel.

1. - Elle .... met (sa montre) à l'heure.
2. - Je .... bois (mon café) bien chaud tous les jours.
3. - Elles .... prennent (leurs manteaux rouges.)
4. - Vous .... savez assez bien (votre leçon de français).
5. - Elles .... mettent (les fleurs) dans un joli vase.
6. - Nous .... ôtons (nos chaussures).
7. - Ils .... invitent (leur cousine) à dîner.
8. - Il .... appelle (le garçon).
9. - .... Prenez-vous (votre déjeuner) chez vous?
10. - .... Savent-ils (leur leçon) par cœur?
11. - .... Avez-vous mis (le vase à fleurs) sur la table?
12. - .... A-t-elle pris (son chapeau vert)?
13. - .... A-t-il accepté (le pourboire)?
14. - .... Ont-ils bu (leur café)?
15. - Est-ce que vous .... remontez (votre montre) tous les jours à 8 heures?
16. - Est-ce que vous .... demandez (l'addition) au garçon?
17. - Est-ce qu'ils .... ont pris (leurs gants)?
18. - Est-ce qu'elle .... a enlevé (son manteau)?
19. - Est-ce qu'elle .... a accepté (l'emploi)?
20. - Est-ce que vous .... avez perdu (votre livre)?

LEÇON 14

A Paris, le dimanche, on **se promène** au Bois de Boulogne.

Exercice F: 1) Remplacez les pronoms soulignés par « me » (m').
2) Mettez ces phrases à la forme négative:
Ex.: Vous ne le remerciez pas.
3) Mettez ces phrases à la forme interrogative.
Ex.: Le remerciez-vous?

1. - Vous **le** remerciez.
2. - Il **l'**invite chez lui.
3. - Ils **la** regardent.
4. - Vous **les** appelez.
5. - Ils **les** surprennent.
6. - Vous **la** trouvez belle.
7. - Vous **le** connaissez.

8. - Il **lui** donne un livre.
9. - Vous **lui** envoyez une lettre.
10. - Il **lui** apporte du parfum.
11. - Elle **lui** coupe **son** pain.
12. - Vous **lui** avez pris **son** livre.
13. - Il **lui** a servi **son** café.
14. - Vous **lui** faites plaisir.

Il remonte la pendule.

Quinzième (15ème) leçon

LE MÉTRO À L'HEURE D'AFFLUENCE

1. - Demain, je **prendrai** le métro pour aller au bureau.
2. - Il y **aura** beaucoup de monde et ce **sera** très désagréable.
3. - Je **ferai** d'abord la queue au guichet pour prendre mon ticket et, naturellement, je **manquerai** mon train.
4. - On me **poussera**, on me **marchera** sur les pieds, et on ne s'en **excusera** pas; tout le monde est bien trop pressé!
5. - Nous nous **bousculerons** pour avoir le plaisir d'entrer dans un wagon déjà plein.
6. - Au moins, si je ne suis pas assis, je ne m'**endormirai** pas comme je l'ai fait hier.

Sur le quai du métro.

7. - Je **descendrai** à ma station et n'**arriverai** pas en retard.
8. - Je m'**amuserai** à lire le journal de mon voisin, et j'**observerai** les gens autour de moi, ce qui **fera** passer le temps.
9. - Autre distraction du métro: J'**étudierai** les réclames pour les « pâtes Lustucru », « La vache qui rit » ou les « potages Knorr ».
10. - Je me **dirai**: « J'en **achèterai** ». Vous en **achèterez** aussi peut-être.
11. - Quelquefois il y a une jolie jeune fille très élégante à côté de moi.
12. - Alors je pense: « L'**inviterai**-je à dîner? — Mais non, elle **refusera** certainement, elle ne me connaît pas ».
13. - « Eh bien! tant pis! Je **dînerai** seul, comme toujours ».
14. - « Pardon Monsieur, vous descendez à la prochaine? ».

Exercice A (Oral): 1) Lisez les phrases suivantes à voix haute, puis mettez-les au singulier.
2) Remplacez « jamais de » par « pas de ».

1. - Elles **ne** prennent **jamais de** sucre dans leur café.
2. - Elles **ne** boivent **jamais de** vin entre les repas.

3. - Elles **ne** mettent **jamais de** chapeau pour sortir.
4. - Elles **ne** mangent **jamais de** pain.
5. - Elles **n'**ont **jamais de** leçons à prendre.
6. - Elles **n'**apprennent **jamais de** chansons.

LE GENRE

WORDS ENDING WITH THE SUFFIX -té (English "ty") ARE FEMININE.

			Exceptions:	
la beau**té**	la personnali**té**	la **générosité**		
la pauvre**té**	la culpabili**té**	la conformi**té**		
la socié**té**	la spéciali**té**	la timidi**té**	le comité	
la sincéri**té**	la possibili**té**	la **curiosité**	le traité	
la minori**té**	la populari**té**	la similari**té**	le pâté	masculin
la fatali**té**	la fraterni**té**	la captivi**té**	un été	
la partiali**té**	la productivi**té**	la célébri**té**	le côté	

Une bouche de métro

LEÇON 15

CONJUGAISON **FUTUR**

To conjugate **regular verbs** in the future, add to the infinitive the present tense of "avoir" (**ons** and **ez** for av**ons** and av**ez**)

REGULAR VERBS		IRREGULAR VERBS	
Parler		**Être**	**Avoir**
Je parler**ai**	(parler+ai)	Je **ser**ai	J'**aur**ai
Tu parler**as**	(parler+as)	Tu **ser**as	Tu **aur**as
Il parler**a**	(parler+a)	Il **ser**a	Il **aur**a
Nous parler**ons**	(parler+ons)	Nous **ser**ons	Nous **aur**ons
Vous parler**ez**	(parler+ez)	Vous **ser**ez	Vous **aur**ez
Ils parler**ont**	(parler+ont)	Ils **ser**ont	Ils **aur**ont

NOTE: Final "e" is dropped in verbs ending in "re":
Vendre: Je **vendrai**

NOTE: **Stem** of the future always remains unchanged for all persons (see above)

Irregular verbs: **Aller**: J'irai — **Savoir**: Je **saur**ai
Voir: Je **verr**ai — **Faire**: Je **fer**ai

— Use the future tense after "quand" (when) when future is implied.

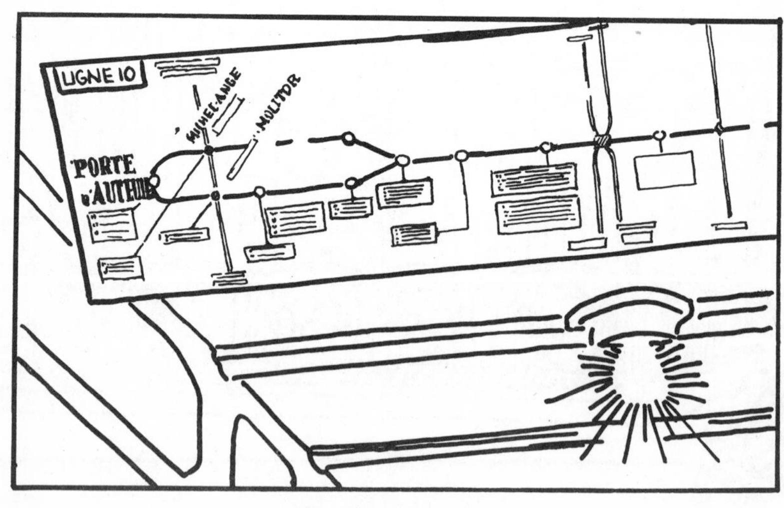

Une ligne de métro.

Exercice B — Mettez les verbes entre parenthèses au futur:

1. - S'il a faim, il (manger). 2. - Si vous venez demain, nous (aller) au cinéma. 3. - S'il ne pleut pas, nous (faire) une promenade. 4. - Si elle a soif, elle (boire) de la bière. 5. - Si vous m'attendez, j'(aller) avec vous chez le coiffeur. 6. - Nous (voyager) si nous avons assez d'argent. 7. - Donnez-lui à dîner dès qu'il (arriver). 8. - Quand il (aller) en France, il (boire) du bon vin. 9. - Je (lire) ce livre quand j'en (avoir) le temps. 10. - Nous (aller) en France dès que nous (savoir) le français. 11. - Ils (poser) beaucoup de questions au professeur. 12. - Je me (réveiller) tôt demain. 13. - Elles s' (amuser) bien chez leurs amis. 14. - Elle s'(efforcer) d'arriver à l'heure.

Exercice C — Complétez avec un des adjectifs suivants:

Entière, propre, blanc, blanche, excellente, mauvaise, neuf, neuve, petite, vieux, vieille, beau, noir, forte, complète, grande.

Une p.... violette, un couteau n...., une en....liberté, une v.... bicyclette, un b....manteau, une ex.... qualité, une g.... majorité, un tableau n...., une assiette b...., un v.... château, une raquette n...., une f.... personnalité, une obscurité c...., un chapeau b...., une m.... santé.

Exercice D — Employez ces phrases avec "ne .... que" (only or not until).

1. - Elle se lève à neuf heures et demie. 2. - Il est resté un jour à Paris. 3. - Il y a 28 jours dans le mois de février. 4. - Vous avez pris un gâteau. 5. - Nous buvons de l'eau. 6. - Elle achète une livre de pommes. 7. - Ils prennent une leçon par semaine. 8. - Je m'en vais à 10 heures ½. 9. - Ils savent l'anglais. 10. - Elles iront en France.

Exercice E — 1) Remplacez les mots en gras par "en" placé avant le verbe.
2) Remplacez "ils" par a) je, b) nous.

1. - Ils demandent de la **monnaie.** 2. - Ils portent **des gants blancs.** 3 - Ils prennent **des leçons de français.** 4. - Ils ont **du temps.** 5. - Ils ont **de la chance.** 6. - Ils ont pris **du thé.** 7. - Ils savent **des poésies.** 8. - Ils boivent **de la bière.** 9. - Ils gagnent **de l'argent.** 10. - Ils versent **du vin** dans les verres. 11. - Ils visitent beaucoup **de pays.** 12. - Ils apportent **des nouvelles intéressantes.**

CONJUGAISON

FUTUR ANTERIEUR

Le futur antérieur est formé de l'auxiliaire (avoir ou être) au futur et du participe passé: "Il aura dîné." Il s'emploie fréquemment après **"quand"** et exprime alors une antériorité par rapport au futur: "Il sortira quand il aura fini."

Exercice F — Mettez les verbes entre parenthèses au futur antérieur.

1. - J'irai au cinéma quand j'(terminer) mon travail. 2. - Il n'aura plus soif quand il (boire). 3. - Vous paierez le chauffeur de taxi quand il vous (déposer) à votre porte. 4. - Vous saurez le poème quand vous l'(apprendre). 5. - A quelle heure irez-vous vous promener?—Quand j'(prendre) mon bain. 6. - Je vous dirai si le vin est bon quand je l'(goûter). 7. - Il achètera une auto quand il (gagner) assez d'argent. 8. - Elle se reposera quand elle (mourir) de fatigue. 9. - Je mettrai mon chapeau quand je me (coiffer). 10. - Je dînerai quand il (partir).

Exercice G — Mettez la lecture suivante au pluriel
(Suzanne et Pierre)

Suzanne **est entrée** dans la gare; elle **est montée** dans le train qui est parti de Versailles à huit heures et qui est arrivé à Paris à huit heures et demie. **Elle est descendue** du train et **est sortie** de la gare. Puis **elle est allée** au Louvre. **Elle est tombée** en admiration devant la Joconde; **elle est restée** une heure à la regarder. Ensuite, **elle est retournée chez elle.** Le lendemain, c'était **son** anniversaire; **elle est née le seize juin;** mais personne n'est venu la voir; heureusement, **parce qu'elle était morte de fatigue.**

Une devinette de Voltaire

Cinq voyelles, une consonne,
En français composent mon nom
Et je porte sur ma personne
De quoi l'écrire sans crayon.

Qu'est-ce que c'est?

Un oiseau

Seizième (16ème) leçon

HIER, J'AI PASSÉ UNE BONNE SOIRÉE

1. - **Je me suis** bien **amusé** chez mes amis Morel hier soir.
2. - **Je me suis étonné** de ne pas vous y rencontrer.
3. - Il y avait beaucoup d'étrangers et **je me suis** beaucoup **intéressé** à ce qu'ils disaient.
4. - **Je me suis** peu à peu **habitué** à leur accent que **je me suis efforcé** de comprendre.
5. - **Je me suis** tout d'abord **demandé** quelle était leur nationalité.
6. - Mais **je me suis** vite **rendu** compte à leur façon de prononcer « r » que beaucoup d'entre eux étaient américains.

Ils sont un peu gais.

7. - Ils nous ont parlé de leur vie aux États-Unis, ce qui était très intéressant.
8. - Ils nous ont raconté leurs aventures en Italie, en Suisse, en Allemagne et au Danemark.
9. - **Je me suis aperçu** qu'ils avaient déjà bu plusieurs verres et qu'ils étaient un peu gais.
10. - La conversation n'en était que plus animée.
11. - **Je me suis approché** de deux jeunes gens qui parlaient de politique et nous avons discuté un moment.
12. - **Nous nous sommes** très bien **compris** et bien **entendus**.
13. - Comme **je me préparais** à prendre congé d'eux, ils ont voulu m'inviter à finir la soirée dans un nouveau cabaret.
14. - Mais j'étais trop fatigué; **je me suis excusé** et je suis parti.
15. - Je suis rentré chez moi vers 11 heures et demie, ravi de ma soirée.
16. - **Je me suis installé** dans un fauteuil et j'ai mis la radio pour écouter les informations.
17. - Puis j'ai lu la revue de cinéma à laquelle **je me suis abonné** le mois dernier.

18. - Il était déjà tard quand **je me suis lavé** et **mis** au lit.
19. - **Je me suis** donc **endormi** sitôt la tête sur l'oreiller et ce matin **je me suis réveillé** de très bonne humeur.
20. - Et vous, qu'avez-vous fait hier soir?

CONJUGAISON

IMPARFAIT du verbe ÊTRE

J'étais	Nous étions
Tu étais	Vous étiez
Il était	Ils étaient

CONJUGAISON **SE LAVER** forme pronominale

présent
v. leçon 14

passé composé

Je me suis lavé	Nous nous sommes lavés
Tu t'es lavé	Vous vous êtes lavés
Il s'est lavé	Ils se sont lavés
Elle s'est lavée	Elles se sont lavées

Exercice A: Mettez les phrases suivantes

1) à la forme négative. Ex.: vous ne vous êtes pas...

2) à la forme interrogative. Ex.: vous êtes-vous...?

Vous vous êtes ...

1. - beaucoup amusés chez vos amis.
2. - abonnés à un journal français.
3. - excusés d'être en retard.
4. - bien reposés pendant les vacances.
5. - Vous vous êtes bien préparés à l'examen d'anglais.
6. - très vite habituées au climat du Canada.
7. - étonnés de son absence à la réunion.
8. - bien habillés pour aller au théâtre.
9. - opposés à son voyage.

Elle s'est déchaussée.

Elle s'est déshabillée.

Exercice B: 1) Remplacez les mots en gras par « y » placé avant le verbe. Ex.: J'y vais.

2) Mettez ces phrases à la forme négative.
Ex.: Je n'y vais pas.

3) Remplacez « je » par: a) « vous » b) « nous ».
Ex: Vous y allez.

y = there

1. - Je * vais **à la maison**.
2. - Je * dîne **chez mes amis**.
3. - Je * suis né **à New York**.
4. - Je * suis entré **au musée**.

1. - Je me * rends **à Paris**.
2. - Je me * repose **à la campagne**.
3. - Je me * regarde **dans la glace**.
4. - Je me * promène **dans la forêt**.

Y = **it**: indirect object (for things only)

1. - Je * renonce **à mon voyage**.
2. - Je * suis habitué **à travailler**.
3. - Je * réponds **à la question**.
4. - Je * travaille **à ma robe**.

1. - Je m' * abonne **à ce journal**.
2. - Je m' * intéresse **au jeu**
3. - Je m' * oppose **à son départ**.
4. - Je me * prépare **à l'examen**.

Exercice C — Au passé composé, l'adverbe (pas, bien, beaucoup....) se place généralement entre l'auxiliaire et le participe passé: Je me suis **bien amusé.**
— Mettez les phrases suivantes au passé composé:

1. - Il mange beaucoup. 2. - Je m'habille mal. 3. - Il n'arrive pas en retard. 4. - Nous nous comprenons très bien. 5. - Vous buvez trop. 6. - Nous travaillons assez. 7. - Je me repose bien. 8. - Il ne sait rien. 9. - Elle ne s'amuse pas. 10. - Ils ne comprennent rien.

Exercice D — Traduisez en français les phrases suivantes:

1. - *He gave her a book.* 2. - *She will go to France next year.* 3. - *I dress rapidly.* 4. - *They drink their coffee with milk.* 5. - *We went to France a year ago.* 6. - *You arrived on time yesterday.* 7. - *Her brother took her to the theater.* 8. - *I drank nothing this morning.* 9. - *The waiter brought her the check.* 10. - *I telephoned him last week.* 11. - *We are leaving at* 8:30. 12. - *I will never learn Chinese, it is too difficult.*

Exercice E — 1) Complétez les phrases suivantes.
2) Mettez-les ensuite au futur.

1. - Quand il fait .... nous mettons un manteau. 2. - Quand vous êtes .... vous appelez le docteur. 3. - Quand j'ai .... je mange. 4. - Quand je suis .... je me repose. 5. - Quand elle arrive en .... elle s'excuse. 6. - Quand on voyage, on dépense beaucoup d' .... 7. - Quand il pleut, je .... des bottes. 8. - Quand elle étudie, elle .... sa leçon. 9. - Quand nous travaillons, nous .... de l'argent. 10. - Quand vous avez .... vous buvez.

PRONONCIATION: "GN" (as in "Champa**gn**e")

La si**gn**ature, la di**gn**ité, la compa**gn**ie, la li**gn**e, le si**gn**al, le compa**gn**on, un oi**gn**on, ma**gn**ifique, ma**gn**étique.

Exercice F (Oral): 1) Remplacez « je » par a) nous, b) elles, c) il.
2) Mettez ces phrases à la forme négative.

1. - J'ai **bu** mon thé sans sucre (boire).
2. - J'ai **pris** mon petit déjeuner à 8 h. ½ (prendre).
3. - J'ai **mis** ma montre à l'heure (mettre).
4. - J'ai **fait** la cuisine toute la journée (faire).
5. - J'ai **offert** des chocolats aux enfants de ma sœur (offrir).
6. - J'ai **lu** un bon livre (lire) et **vu** un bon film (voir).
7. - J'ai **été** au théâtre avant-hier (être).
8. - J'ai bien **compris** les explications (« comprendre » comme « prendre »-)
9. - J'ai **eu** de longues vacances cette année (avoir).
10. - J'ai **dit** bonjour à tout le monde (dire).

---

1. - Je suis **resté(e)** au bureau jusqu'à six heures et quart (rester).
2. - Je suis **entré(e)** dans le magasin de chaussures (entrer).
3. - Je suis **allé(e)** faire des achats au Bon Marché (aller).
4. - Je suis **parti(e)** à 10 h. moins le quart (partir).
5. - Je suis **arrivé(e)** à comprendre la leçon (arriver).
6. - Je suis **sorti(e)** trop tard de la maison (sortir).
7. - Je suis **descendu(e)** à pied (descendre).
8. - Je suis **né(e)** à Paris (naître).
9. - Je suis **venu(e)** vous dire bonjour (venir).
10. - Je suis **retourné(e)** voir le film français (retourner).

Dix-septième (17ème) leçon

ALLONS FAIRE UN TOUR EN VOITURE

1. - **Viens**, Jeanne, il fait un temps magnifique, **allons** faire un tour en auto.
2. - **Prends** ton manteau; en avril, il peut faire encore assez froid à la campagne.
3. - **Dépêche-toi**! **Profitons** de ce beau soleil de printemps.
4. - Et puis, un peu plus tard les routes risquent d'être embouteillées.
5. - D'accord, **partons** tout de suite, je suis prête.
6. - **N'oublie** pas de fermer la porte à clé.
7. - **Prenons** l'escalier, ce n'est pas la peine d'attendre l'ascenseur, nous pouvons bien descendre un étage à pied.

— Il fait le plein.

8. - Où as-tu garé la voiture?
9. - Assez loin. **Attends-moi** ici si tu veux.
10. - Bon! **Vas-y** et **fais** vite, je n'ai pas trop de patience.
11. - Dix minutes après, il était devant la maison et klaxonnait pour l'appeler.
12. - **Monte** et **ferme** bien la portière.
13. - **Sois** prudent en conduisant, **évite-nous** les accidents et les contraventions.
14. - N'**aie** pas peur, je suis la prudence même; j'ai de bons freins et d'excellents pneus.
15. - Mais tu n'as pas assez d'essence; **arrête-toi** pour en prendre si tu ne veux pas tomber en panne sèche dans la nature.
16. - Tu as bien raison. Voilà justement un garage; **allons-y**.
17. - Faites le plein d'essence et nettoyez les vitres S.V.P. *
18. - **Paie** pour moi, veux-tu, j'ai laissé mon portefeuille dans la poche de mon veston, sur la banquette arrière.
19. - Maintenant à nous la liberté; nous circulerons sans encombre, il n'y a pas trop d'autos sur la route.

* **Abréviation pour « s'il vous plaît ».**

QUELQUES SIGNAUX ROUTIERS (Extrait du Code de la route).

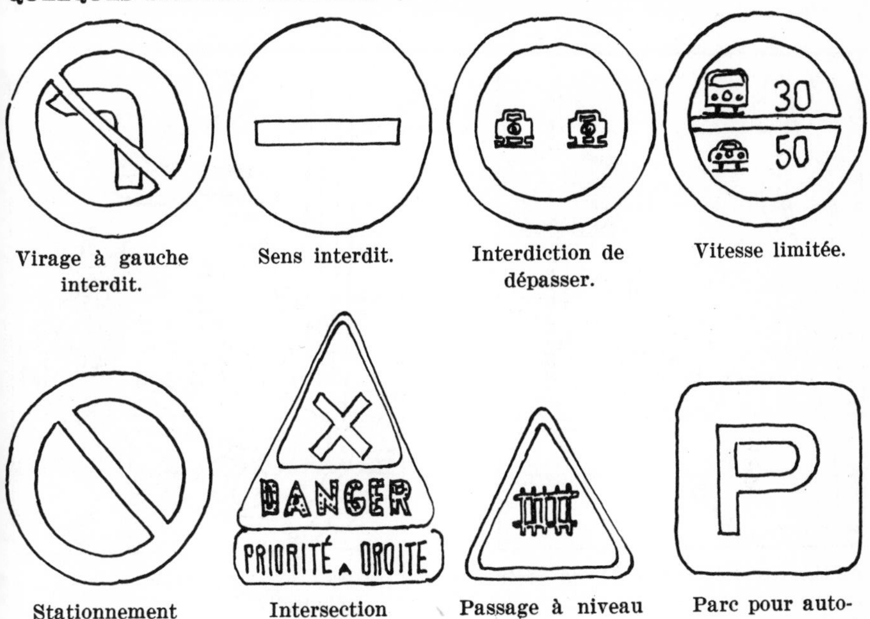

Virage à gauche interdit. — Sens interdit. — Interdiction de dépasser. — Vitesse limitée.

Stationnement interdit. — Intersection dangereuse. — Passage à niveau gardé. — Parc pour automobiles (Parking)

Exercice A: Remplacez « j'ai » par a) elles ont, b) vous avez.

1. - J'ai **trop de** travail et pas **assez de** repos.
2. - J'ai **trop d'**enfants et pas **assez d'**argent pour eux.
3. - J'ai **trop d'**invitations et pas **assez de** robes et **de** manteaux.
4. - J'ai **trop de** livres et pas **assez d'**étagères pour les ranger.
5. - J'ai **trop de** vin et pas **assez de** pain et **de** beurre.
6. - J'ai **trop de** parents et pas **assez d'**amis.

PROBLÈME DE STATIONNEMENT:

M. Durand et sa femme cherchent un endroit en ville où garer leur voiture. Ils roulent pendant trois quarts d'heure d'un coin à l'autre, et finalement Madame s'écrie:

— Tu vois que des milliers de gens ont réussi à garer leur voiture. Mais toi...

LEÇON 17

Faites attention avant de traverser la rue.

— Reste ici, n'y va pas. Il est si maladroit !

CONJUGAISON — IMPÉRATIF

verbes en **er**		**verbes pronominaux**	autres verbes	
(tu)	donn**e(s)**	Lave-toi	Prend**s**	Boi**s**
(nous)	donn**ons**	Lavons-nous	Pren**ons**	Buv**ons**
(vous)	donn**ez**	Lavez-vous	Pren**ez**	Buv**ez**

ATTENTION: Présent: Tu donnes; Impératif: Donne

Impératifs Irréguliers

être	**avoir**	savoir	vouloir	s'en aller
Sois	**aie**	sache	veuille	va-t'en
Soyons	**ayons**	sachons		allons-nous-en
Soyez	**ayez**	sachez	veuillez	allez-vous-en

Exercice B: Mettez les phrases suivantes:

a) à l'impératif négatif: (vous) ne me regardez pas
b) à l'impératif positif: Regardez-moi

1. - Vous me regardez.
2. - Vous me surprenez.
3. - Vous me remerciez.
4. - Vous me faites plaisir.
5. - Vous me laissez tranquille.
6. - Vous me parlez de votre mère.
7. - Vous m'appelez.
8. - Vous m'offrez des fleurs.
9. - Vous m'invitez à dîner.
10. - Vous m'envoyez des lettres.
11. - Vous m'achetez des chocolats.
12. - Vous m'apportez des nouvelles.

Exercice C: Traduisez les phrases suivantes:

1. - The boat arrived 2 hours ago. 2. - I have been sick for one week. 3. - We have been living in Paris for a long time. 4. - I will give her a present for her birthday. 5. - Do not telephone him to invite him; it is preferable to write to him. 6. - Did you have a good time yesterday? 7. - Did you have a good rest? 8. - Did she subscribe to this magazine? 9. - I went out beeause I had (j'avais) a headache. 10. - She has had a lot of work. 11. - Have you read this book? 12. - She has done a lot of things. 13. - You did not understand. 14. - He is not thirsty. 15 - She never eats bread. 16. - They never drink beer.

— Il **fait** de la monnaie.

— Il **fait** des études

LEÇON 17

CONJUGAISON **VERBE FAIRE**

Présent		Passé composé	Futur	
Je fais	Nous faisons	J'ai fait	Je ferai	Nous ferons
Tu fais	Vous faites.	Tu as fait	Tu feras	Vous ferez
Il fait	Ils font	Il a fait...	Il fera	Ils feront

3 exceptions: Vous **êtes**, vous **dites**, vous **faites**.

Expressions idiomatiques:

— Il fait chaud. (It is warm.)
— Comment se fait-il? (How come?)
— Ça ne fait rien. (It does not matter.)
— Qu'y faire! (What can be done about it!)

Un embouteillage.

QUEL TEMPS FAIT-IL?

Il fait beau, le soleil brille.
(Il fait beau temps)

Il pleut, le ciel est gris.
(Il fait mauvais temps)

Il fait du vent,

Il fait froid, il neige.

Exercice D: 1) Mettez ces phrases à la forme négative.
2) Remplacez « je » par: a) « vous », b) « ils ».

1. -	attention.	6. -	une belle promenade.
2. -	un bon travail.	7. -	mes études à Paris.
3. - Je fais	de la monnaie.	8. - J'ai fait	la cuisine pour lui.
4. -	voir ma maison.	9. -	des progrès en français.
5. -	faire une robe.	10. -	mal au chien.

Exercice E: Mettez les phrases suivantes à la forme négative.

Mon dentiste me fait mal.
Ton dentiste te fait mal.
Son dentiste lui fait mal.

Nos voisins nous font envie.
Vos voisins vous font envie.
Leurs voisins leur font envie.

Il **fait** voir des bijoux.

LE GENRE —

Les noms terminés par "l" sont masculins: le soleil.
Les noms terminés en "ille" sont féminins: la paille.
Excepté le portefeuille et le chèvrefeuille.

La famille	La merveille	Le corail*	Le soleil
La feuille	La veille	Le travail*	Le réveil
La bataille	La grenouille	Le vitrail*	Le sommeil
La taille	La citrouille	Le bail*	Un oeil

NOTE: — On ne prononce pas "l" dans les mots cités, mais on le prononce dans les mots qui commencent par "il" (illusion) et dans les mots suivants: ville, tranquille, mille.

PLURIEL DES NOMS SUIVIS DE * :

Le corail, les coraux — Le travail, les travaux
Le vitrail, les vitraux — Le bail, les baux. l'oeil, les yeux.

Exercice F — Traduisez les mots mis entre parenthèses et faites-les accorder avec les noms qu'ils accompagnent:

1. - (the) bouteille de vin est (expensive). 2. - Voilà (a good) conseil. 3. - Il y a des groseilles (red) et des groseilles (white). 4. - (these) lentilles sont (excellent). 5. - (this) muraille est (high). 6. - (the) sel n'est pas (expensive). 7. - (this) appareil est (new). 8. - (this) anguille est (good). 9. - (her) aiguille est (broken). 10. - (this) chien a de (long) oreilles. 11. - (this) fauteuil est (broken). 12. - (the) feuilles des arbres sont (green).

Exercice G — Mettez les phrases suivantes au passé composé:

1. - Nous nous reposons après le dîner. 2. - Vous vous levez tôt. 3. - Elles s'abonnent à ce journal. 4. - Je me lave les mains avec un bon savon. 5. - A quelle heure vous couchez-vous? 6. - Je m'amuse au cinéma. 7. - Il s'excuse d'être en retard. 8. - Vous vous étonnez de son absence. 9. - Elle s'habille bien pour aller au théâtre. 10. - Je me prépare à l'examen. 11. - Vous vous habituez à notre climat. 12. - Il s'installe dans son fauteuil.

Dix-huitième (18ème) leçon

QUAND NOUS ÉTIONS À PARIS

1. - Quand nous sommes arrivés à Paris, mon frère et moi, **il faisait** très chaud.
2. - **Nous n'avions** jamais vu l'Opéra ni les Champs-Élysées.
3. Nous **descendions** dans un hôtel très cher.
4. - **Nous ne parlions pas** le français et **nous visitions** la ville un peu au hasard.
5. - **Nous allions** déjeuner dans un restaurant des boulevards.
6. - **Nous prenions** un bon repas et **nous buvions** du vin rouge.
7. - **Nous donnions** de bons pourboires au garçon qui nous **servait**.
8. - **Nous aimions** nous asseoir à la terrasse des cafés.
9. - **Nous regardions** passer les Parisiennes en buvant un apéritif.
10. - **Nous achetions** des souvenirs et des cartes postales pour envoyer à notre famille.
11. - **Il** nous **arrivait** de nous perdre.
12. - **Nous demandions** alors notre chemin à une personne dans la rue.
13. - **C'était** très amusant, car ces pauvres Français et Françaises **avaient** beaucoup de mal à nous comprendre.
14. - Enfin, **nous perdions** notre temps le plus agréablement du monde.
15. - **Nous dépensions** aussi beaucoup d'argent, car tout est très cher à Paris.
16. - Malgré tout, nous avons beaucoup regretté d'être obligés de quitter la France, mais **il** le **fallait**.
17. - Sur le bateau, en route pour les États-Unis, **nous aimions** nous rappeler nos souvenirs de voyage :
18. - « Te rappelles-tu ce petit restaurant de la rive gauche où l'**on mangeait** de si bons escargots ? »
19. - « Et ce petit café, Boulevard des Italiens, où l'**on buvait** un cidre délicieux ! »
20. - « Et ce petit magasin, rue des Petites Écuries, où **il y avait** de si jolies choses pour une bouchée de pain. »
21. - « Allons, allons ! Console-toi ! Tu vas retrouver la cinquième Avenue et les gratte-ciel.
22. - « Oui, et aussi tous les charmants petits restaurants français de New York où nous irons manger des escargots en parlant de Paris. »

CONJUGAISON **IMPARFAIT**

Endings of imparfait are the same for all verbs:

- ais	**- ions**
- ais	**- iez**
- ait	**- aient**

Stem is that of the first person plural of the present tense: nous **sav**ons (except "être"); it always remains unchanged for all persons.

BOIRE

Présent	**Imparfait**
Nous **bu**vons	Je **bu**vais Tu **bu**vais Il **bu**vait
Different pronunciation	Nous **bu**vions Vous **bu**viez
	Ils **bu**vaient

LIRE

Présent	**Imparfait**
Nous lisons	Je lisais Tu lisais Il lisait
Different pronunciation	Nous lisions Vous lisiez
	Ils lisaient

Same pronunciation for: Je buvais, tu buvais, il buvait, ils buvaient.

Exercice A — 1) Répétez oralement les phrases suivantes:
2) Remplacez "elle" par a) je, b) vous.

1. — Elle lisait quand il est rentré.
2. — Elle dînait quand le téléphone a sonné.
3. — Elle prenait son petit déjeuner quand elle s'est coupé le doigt.
4. — Elle était malade quand elle a fait son testament.
5. — Elle allait au bureau quand l'auto l'a renversée.
6. — Elle ne faisait rien quand il l'a appelée.
7. — Elle savait déjà la nouvelle quand elle a reçu la lettre.
8. — Elle voulait étudier la médecine quand son père est mort.

LEÇON 18

—Il fait si chaud, j'ai envie d'une glace !

Louis XIV **mangeait** comme quatre.

LE GENRE: Les noms de **pays** (ou de provinces), de fruits et de **fleurs** sont **féminins** s'ils sont terminés par la lettre **"e"**. Les autres sont **masculins.**

PAYS	FRUITS	FLEURS	EXCEPTIONS
La France	La pomme	La rose	**Fruits:**
La Suisse	La prune	La violette	La noix
La Belgique	La fraise	La tulipe	**Pays:**
La Floride	La banane	La pensée	Le Mexique
La Hongrie	La poire	La jacinthe	Le Cambodge
Le Brésil	Le raisin	Le jasmin	**Fleurs:**
Le Canada	Le pruneau	Le camélia	Le chrysanthème
Le Chili	Un abricot	Le réséda	Le narcisse
Le Danemark	Un ananas	Le lilas	

Exercice B — Répétez ces noms avec un article et dites la raison de leur genre:

Lecture, sonnette, canal, couteau, patience, priorité, paille, pension, prune, chaussure, traitement, fromage, Vénézuéla, métal, bateau, difficulté, orange, oreille, Californie, différence, condition, abonnement, Italie, lunette.

Exercice C — 1) **Répétez les phrases suivantes oralement,**
2) **Répétez-les au plus-que-parfait,**
3) **Répétez-les affirmativement** (Il a fait du bruit).

1. - Il n'a **pas** fait **de** bruit.
2. - Il n'a **pas** mis **de** gants.
3. - Il n'a **pas** mangé **de** fruits.
4. - Je n'ai **pas** écrit **de** lettres.
5. - Je n'ai **pas** bu **de** vin.
6. - Je n'ai **pas** acheté **de** pain.
7. - Ils n'ont **pas** pris **de** bain.
8. - Ils n'ont **pas** gagné **d'**argent.
9. - Vous n'avez **pas** eu **de** mal.
10. - Vous n'avez **pas** vu **de** film.
11. - Vous n'avez **pas** lu **de** roman.
12. - Elles n'ont **pas** bu **d'**eau.
13. - Ils n'ont **pas** su **de** poème.
14. - Je n'ai **pas** reçu **de** visite.
15. - Il n'a **pas** mis **de** chapeau.
16. - Ils n'ont **pas** eu **de** chance.

CONJUGAISON

PLUS-QUE-PARFAIT

Le **plus-que-parfait** est un temps composé comme le **passé composé.** Il est formé de l'auxiliaire (être ou avoir) + le participe passé. Ex.: Il **avait lu** le livre. Comparez les 2 temps composés:

BOIRE

Passé composé		Plus-que-parfait	
J'ai		**J'avais**	
Tu as		**Tu avais**	
Il a	bu	**Il avait**	bu
Nous av**ons**		Nous av**ions**	
Vous av**ez**		Vous **aviez**	
Ils **ont**		Ils **avaient**	

Exercice D — 1) **Répétez ces phrases oralement,**
2) **Répétez-les négativement,**
3) **Remplacez "ils" par** a) vous, b) je.

1. — Ils savaient leurs leçons quand ils les avaient apprises.
2. — Ils riaient beaucoup quand ils avaient trop bu.
3. — Ils parlaient français quand ils y étaient obligés.
4. — Ils étaient fatigués quand ils avaient trop travaillé.
5. — Ils avaient mal aux pieds quand ils avaient trop marché.
6. — Ils allaient au bureau à pied quand ils s'étaient levés tôt.
7. — Ils faisaient de la musique quand ils avaient fini leur journée.
8. — Ils prenaient le métro quand ils s'étaient levés tard.

Dix-neuvième (19ème) leçon

A BÂTONS ROMPUS

(Deux amis à la terrasse d'un café)

1. - Avez-vous lu les journaux aujourd'hui?
2. - Non, je ne **les** ai pas encore lus; pourquoi?
3. - Vous ne **savez** pas la nouvelle? Les impôts **doivent** encore augmenter. Avez-vous fait votre déclaration cette année?
4. - Non, je ne **l'**ai pas encore faite, mais je **sais** que je **dois** l'envoyer avant la fin du mois, dernier délai. Je **la** ferai dimanche, s'il pleut.
5. - J'espère bien qu'il ne pleuvra pas, nous **devons** aller chez les parents de Philippe ma femme et moi; nous **leur** avons promis d'aller **leur** rendre visite.
6. - Tiens, ce vieux Philippe! Je **l'**ai justement rencontré hier, boulevard St-Germain.
7. - Il voulait m'emprunter 100 francs; je ne **les lui** ai pas donnés, vous pensez. D'ailleurs je ne **les** avais pas en poche et je **le lui** ai dit.

Amabilités

— On peut gagner de l'argent de bien des façons, mais il n'y en a qu'une qui soit honnête.
— Laquelle?
— Je savais bien que vous ne la connaissiez pas.

8. - Il n'a pas dû vous croire; il **les** demandera à quelqu'un d'autre.
9. - A propos, **savez-vous** que Marianne est à Paris avec sa famille?
10. - Oui, je **lui** ai téléphoné ce matin pour l'inviter avec son mari.
11. - Nous serons très heureux de **les** recevoir aussi.
12. - Ma femme fait très bien la cuisine, elle **leur** fera un bon repas.
13. - Je **leur** ai demandé d'amener leurs enfants. Nous **les** aimons beaucoup. **Les** connaissez-vous?
14. - Non, je ne **les** connais pas encore. Ils sont certainement charmants s'ils ressemblent à leurs parents. Quel âge ont-ils?

15. — Leur fille n'a que 16 ans, mais elle en paraît 18. Leur fils a 20 ans.
16. — Vos enfants pourront leur tenir compagnie et leur faire visiter la ville.
17. — Savez-vous quel est le gagnant des Courses d'Auteuil?
18. — Non, mais on le saura bientôt. Puis-je vous offrir un verre?
19. — Volontiers, avec plaisir.

CONJUGAISON

SAVOIR

Présent	Passé Composé
Je sais	**J'ai su**
Tu sais	
Il sait	**Futur**
Nous savons	**Je saurai**
Vous savez	
Ils savent	

DEVOIR

Présent	Passé Composé
Je dois	**J'ai dû**
Tu dois	
Il doit	**Futur**
Nous devons	**Je devrai**
Vous devez	
Ils doivent	

Exercice A — Remplacez "il" par "elles".

1. - Il ne sait plus où il a mis son livre. 2. - Sait-il à quelle heure il doit partir? 3. - Il n'a jamais su comment son père s'était enrichi. 4. - A-t-il su sa leçon? 5. - Il savait que sa mère était pauvre. 6. - Il ne savait plus à quel saint se vouer. 7. - Il ne saura pas faire ce travail. 8. - Il saura bien y aller tout seul. 9. - Il doit arriver vers 5 heures et demie. 10. - Il va à l'école depuis deux ans, il doit savoir lire maintenant. 11. - Il a dû prendre le train de midi un quart. 12. - Il a dû m'envoyer son livre, mais je ne l'ai pas encore reçu. 13. - Il devait venir me voir hier, mais il n'en a pas eu le temps. 14. - Il devait 100 francs à sa soeur; il les lui a rendus. 15. - Il devra faire ce travail en un jour. 16. - Il devra la vie au chirurgien qui l'a opéré.

Exercice B — Complétez les phrases suivantes:

1. - Je prends le .... pour Paris. 2. - Il y a douze .... dans une année. 3. - Elle est restée au bureau .... à 6 heures. 4. - Je me suis abonné à un .... français. 5. - Il aime le théâtre, il .... va souvent. 6. - Il y a long-

temps qu'elle .... à New York. 7. - Est-ce que votre .... retarde? 8. - Ces fruits sont excellents, prenez- .... 9. - Je ne comprends pas votre point de .... 10. - Ce film est bon, allez .... voir. 11. - Donnez-moi un .... aller et retour pour Paris. 12. - Elle n'aime pas la bière, elle n' .... boit jamais. 13. - Puis-je .... une question? 14. - Mieux vaut tard que ..... 15. - Je ne .... pas l'explication.

PLURIEL DES MOTS EN -AL

Les mots terminés en "al" forment leur pluriel en "-aux".

Exemple: Un signal spécial — Des signaux spéciaux.
Exceptions: Les bals, les festivals, les récitals, les carnavals, finals, navals.

NOTE: **Masculin:** national — nationaux
Féminin: nationale — nationales

Exercice C — Répétez oralement les mots suivants au pluriel:

le général, le journal, le minéral, le maréchal, le tribunal, le métal, le rival, le capital, le mal, le cristal, le cardinal, le cheval, un animal, un hôpital, un original, un amiral.

Postal, mural, spécial, égal, génial, numéral, familial, régional, commercial, continental, impérial, vital, spécial, expérimental, oral.

Remarquez que tous ces noms et adjectifs sont masculins parce que terminés par la lettre "l".

Exercice D — 1) Lisez ces phrases, puis répétez-les négativement:
2) Remplacez "leur" par "lui".

1. - Donnez-leur de longues vacances.
2. - Téléphonez-leur pour les inviter.
3. - Demandez-leur de l'argent.
4. - Faites-leur un beau cadeau.
5. - Apportez-leur du vin.
6. - Dites-leur de venir.
7. - Montrez-leur vos livres.
8. - Envoyez-leur la lettre.

LEÇON 19

On ne passe pas.

Il cherche sa station.

— J'aime les anim**aux** domestiques...

— Mais ce n'est pas réciproque!

Exercice E — Remplacez "Vous n'avez rien" par:
a) Ils n'ont rien, b) Je n'ai rien (oralement).

Vous n'avez rien

1. fait depuis ce matin.
2. pris ce matin.
3. mis sur la table.
4. bu, ni vin, ni eau.
5. lu, ni journaux, ni livres.
6 su, ni en chimie, ni en latin.
7. acheté **de bon.**

(RIEN DE devant un **ADJECTIF)**

LE GENRE — Le noms de "**personnes**" et de "**machines**" terminés en "**eur**" sont **masculins.** Les autres sont **féminins.**

Exceptions: Le bonheur, le malheur, l'honneur, le labeur.

MASCULIN		FEMININ
Personnes	**Machines**	La chal**eur**
Le spectat**eur**	Le mot**eur**	La pâl**eur**
Le tut**eur***	Le radiat**eur**	La p**eur**
Le visit**eur**	Le project**eur**	La fl**eur**
Le ment**eur**	Le ventilat**eur**	La tum**eur**
Un emper**eur**	Le réact**eur**	La vigu**eur**
Le profess**eur**	Un ascens**eur**	La blanch**eur**
Le doct**eur**	Un aspirat**eur**	La grand**eur**

NOTE: Le féminin des noms de personnes sont: **spectatrice, tutrice, visiteuse, menteuse, impératrice; professeur** et **docteur** n'ont pas de féminin, ils s'emploient au masculin pour désigner des femmes.

Exercice F — Traduisez les mots mis entre parenthèses.

1. - (my) réfrigérateur est (old). 2. - Ma femme est (a good) docteur. 3. - (the) bonheur est rare. 4. - Il a acheté de (beautiful) fleurs. 5. - Sa mère est (the) professeur de ma fille. 6. - Je bois (a) liqueur (delicious). 7. - (my) erreur est (great). 8. - (the) couleur de votre auto est (beautiful). 9. - (this) ascenseur est (large). 10. - J'aime (the) blancheur de la neige.

Vingtième (20ème) leçon

VOULEZ-VOUS FAIRE UNE EXCURSION DIMANCHE PROCHAIN?

1. - Le premier dimanche du mois prochain, nous irons à Versailles s'il ne pleut pas.
2. - Pourquoi pas dimanche prochain?
3. - Parce que nous **voulons** voir les Grandes Eaux. Irez-vous avec nous à Versailles?
4. - Non, je ne **peux** pas y aller avec vous, c'est bien dommage.
5. - Je compte y aller le premier dimanche du mois suivant.
6. - Et que comptez-vous faire dimanche prochain?
7. - Je prendrai le train pour Orléans où il y a la fête de Jeanne d'Arc qui est, **parait-il**, très belle.
8. - Pourquoi ne venez-vous pas avec moi? Vous **pourrez** voir les Grandes Eaux, comme moi, le mois suivant.
9. - Vous avez raison; c'est une bonne idée; je **veux** bien.
10. - Je vais en parler à ma femme et tâcherai de la décider à se joindre à nous.
11. - Elle aime l'histoire et un défilé d'une époque éloignée de la nôtre l'intéressera certainement.
12. - A quelle heure **faudra-t-il** partir?
13. - **Il doit** y avoir des trains toutes les heures pour Orléans, mais **il vaut** mieux consulter l'horaire des chemins de fer. En avez-vous un?
14. - Non, je n'en ai pas mais je **peux** téléphoner à la gare où on me renseignera tout de suite.

Ils prennent le train **pour** Orléans.

15. - Bien sûr, vous avez raison. On nous dira aussi combien coûte un billet aller et retour en première classe.
16. - Pour un trajet si court, nous **pouvons** même voyager en seconde classe; ne croyez-vous pas?
17. - Non, la différence de prix n'est pas grande; **cela ne vaut pas** la peine.
18. - Eh bien, **c'est entendu**, nous irons donc tous à Orléans.
19. - Le dimanche suivant, nous **pourrons** visiter un des nombreux châteaux des environs de Paris qui sont très intéressants à voir.
20. - Moi je **voudrais** aller à Saint Denis pour voir la vieille église dans laquelle il y a les tombeaux des rois de France.
21. - D'accord, allons-y si vous **voulez**.

Une vieille église: Saint-Étienne-du-Mont, à Paris.

LEÇON 20

CONJUGAISON

	VALOIR	VOULOIR	POUVOIR
PRESENT:	**Je vaux**	**Je veux**	**Je peux (puis)**
	Tu vaux	Tu veux	Tu peux
	Il vaut	Il veut	Il peut
	Nous valons	**Nous voulons**	**Nous pouvons**
	Vous valez	Vous voulez	Vous pouvez
	Ils valent	**Ils veulent**	**Ils peuvent**
PASSE COMPOSE:	**Il a valu**	**J'ai voulu**	**J'ai pu**
FUTUR:	**Il vaudra**	**Je voudrai**	**Je pourrai**

Exercice A — Lisez les phrases suivantes, puis remplacez "nous" par a) je, b) elles.

1. - Nous sommes fatigués; nous ne pouvons pas travailler. 2. - Pouvons-nous voir le malade? 3. - Nous n'avons pas pu prendre l'avion pour Paris. 4. - Nous pourrons faire ce voyage si nous en avons le temps. 5. - Dans un mois, nous pourrons lui envoyer l'argent de son voyage. 6. - Bien sûr, nous voudrons, mais pourrons-nous vous rendre ce service? 7. - Nous voulons acheter cette maison. 8. - Nous ne voulons pas de lui pour ce rôle. 9. - Nous n'avons pas voulu cela. 10. - Nous avons su notre leçon. 11. - Que savons-nous de plus que vous? 12. -Nous saurons très bien lui cacher la vérité.

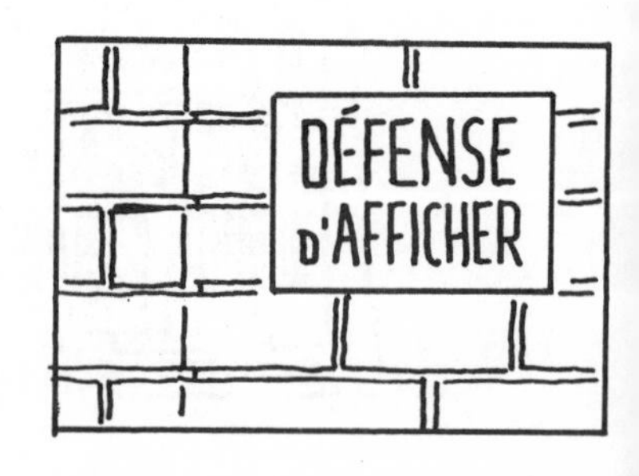

Il **vaut** mieux faire envie...

...que pitié.

PSYCHOLOGIE:

PRONOMS PERSONNELS

Les pronoms personnels suivants:
Singulier (féminin et masculin) : **"lui"**
Pluriel (féminin et masculin) : **"leur"**
remplacent les noms précédés de la préposition "à":

Ex. Il parle à sa mère = Il **lui** parle.
Il parle à ses parents = Il **leur** parle.

NOTE: Lui sans verbe, après une préposition ou sujet est seulement masculin. Ex.: **Lui** aussi — **Lui** parle. Il est chez **lui.**

Exercice B — a) Remplacez les mots entre parenthèses par "leur" placé avant le verbe.
b) Répétez ces phrases négativement.
c) Remplacez "leur" par "lui".

1. - Je donnerai des bonbons (aux enfants). 2. - Je téléphonerai demain (à mon frère et à ma soeur). 3. - J'enverrai des cartes postales (à mes amis). 4. - Vous répondrez (à vos parents). 5. - Vous demanderez de l'argent (à vos cousins). 6. - Nous donnerons un pourboire (aux ouvreuses). 7. - Nous dirons (aux vendeurs) d'envoyer la marchandise chez nous. 8. - Les cadeaux feront certainement plaisir (aux employés). 9. - Le professeur parlera français (aux étudiants). 10. - Ils offriront des fleurs (à leurs filles). 11. - Avez-vous offert un verre (aux invités)? 12 - A-t-il apporté l'addition (aux clients)?

Exercice C — Mettez les verbes suivants
a) au passé composé, b) au futur.

1. - Nous arrivons à l'heure. 2. - Je prends le train à 8 heures et demie. 3. - Il sort de la maison à midi un quart. 4. - Je ne peux pas travailler. 5. - Il est aimable avec moi, mais pas avec eux. 6. - A quelle heure vous levez-vous? 7. - Buvez-vous votre café sucré? 8. - Je ne veux pas porter une robe blanche. 9. - Comprenez-vous l'explication? 10. - Elles n'ont pas le temps de lire. 11. - Cela en vaut

la peine. 12. - J'ai le mal de mer quand je voyage en bateau. 13. - Je m'excuse d'être en retard. 14. - Vous dites la vérité.

Exercice D — 1) Mettez les verbes entre parenthèses au passé composé.
2) Remplacez "elle" par "vous".

1. - Elle (mettre) son manteau d'hiver. 2. - Elle (lire) son journal ce matin. 3. - Elle (aller) au bureau à huit heures et demie. 4. - Elle (tomber) en descendant l'escalier. 5. - Elle (être) malade la semaine dernière. 6. - Elle (faire) un long voyage en Amérique du Sud. 7. - Elle (voir) le nouvel opéra. 8. - Elle (comprendre) mon point de vue. 9. - Elle (savoir) comment les décider à venir. 10. - Elle (avoir) beaucoup de chance. 11. - Elle (boire) trop de vin blanc. 12. - Elle (partir) pour Paris hier soir. 13. - Elle (sortir) de la maison avec lui. 14. - Elle (rester) deux jours à Rouen. 15. - Elle (descendre) dans un bel hôtel, 16. - Elle (offrir) un apéritif à ses invités.

Exercice E—Lisez ces phrases oralement, puis répétez-les négativement

1. - Je me suis ennuyé chez eux. 2. - Je me suis fatigué au bureau. 3. - Il s'est jeté par la fenêtre. 4. - Les chevaux se sont échappés. 5. - Elles se sont blessées. 6. - Vous vous êtes compris. 7. - Vous vous êtes fait mal. 8. - Je me suis méfié de lui. 9. - L'oiseau s'est envolé. 10. - Ils se sont assis sur le banc. 11. - Elle s'est cogné la tête. 12. - Le train s'est arrêté à la station. 13. - Nous nous sommes soignés. 14. - Ils se sont aperçus de leur erreur. 15. - Je me suis endormi dans le fauteuil. 16 - Elle s'est amusée au cinéma. 17. - Vous vous êtes perdu dans la forêt. 18. - Vous vous êtes souvenu de moi.

Exercice F — Remplacez "vous" par a) il, b) nous.

1. - Vous ne gagnerez **rien à attendre.** 2. - Vous ne lui donnerez **rien à boire.** 3. - Vous ne trouverez **rien à lire ici.** 4. - Vous ne trouverez **rien de beau** dans ce magasin. 5. - Vous ne ferez **rien de bon.** 6. - Vous ne saurez **jamais rien.** 7. - Vous n'aurez **jamais rien.**

NOTE: Rien **à** + verbe - Rien **de** + adjectif.

POUR TOI MON AMOUR

Je suis allé au marché des oiseaux
Et j'ai acheté des oiseaux
Pour toi
mon amour

Je suis allé au marché aux fleurs
Et j'ai acheté des fleurs
Pour toi
mon amour

Je suis allé au marché à la ferraille
Et j'ai acheté des chaînes
Pour toi
mon amour

Et puis je suis allé au marché aux esclaves
Et je t'ai cherchée
Mais je ne t'ai pas trouvée
Mon amour

Jacques Prévert

Exercice A — (Voir grammaire)
1) Remplacez "je" par "elle" et "nous" par "vous",
2) Mettez les phrases suivantes à l'imparfait:

1. - Je lis mon journal. — Nous lisons notre journal.
2. - Je mets mes gants. — Nous mettons nos gants.
3. - Je sais ma leçon. — Nous savons notre leçon.
4. - Je prends mon dîner. — Nous prenons notre dîner.
5. - Je fais mon devoir. — Nous faisons notre devoir.
6. - Je bois mon café. — Nous buvons notre café.
7. - Je vends mes fruits. — Nous vendons nos fruits.
8. - Je pars pour l'Italie. — Nous partons pour l'Italie.
9. - Je peux rester 2 mois. — Nous pouvons rester 2 mois.
10. - Je connais son frère. — Nous connaissons son frère.
11. - Je lui dois 2 francs. — Nous leur devons 2 francs.
12. - Je choisis la liberté. — Nous choisissons la liberté.
13. - Je veux arriver. — Nous voulons arriver.
14. - Je viens de la voir. — Nous venons de la voir.
15. - J'apprends l'anglais. — Nous apprenons l'anglais.
16. - J'éteins la lumière. — Nous éteignons la lumière.

Exercice B — Mettez au pluriel les phrases suivantes:

1. - La route nationale est belle. 2. - Ce signal fonctionne mal. 3. - Cet hôpital est grand. 4. - Donnez-lui le journal régional. 5. - Ce canal est long. 6. - Voilà la raison principale de mon refus. 7. - Cet animal est normal. 8. - J'ai un mal de tête affreux. 9. - Ce cristal est beau. 10. - Le service postal est mal fait. 11. - Où avez-vous placé votre capital? 12. - Il a un rival dangereux.

Exercice C — Répétez les phrases suivantes négativement puis affirmativement:

1. - Ne m'aidez pas. 2. - Ne le dites pas. 3. - N'en mangez pas beaucoup. 4. - Ne nous en allons pas. 5. - Ne vous abonnez pas à ce journal. 6. - Ne lui écrivez pas. 7. - Ne les emportez pas chez vous. 8. - Ne me regardez pas. 9. - Ne lui téléphonez pas aujourd'hui. 10. - Gardez cette lettre, n'y répondez pas encore. 11. - Ne le faites pas pour elle. 12. - Ne t'habille pas bien. 13. - N'écoutez pas la radio. 14. - N'obéissez pas à votre frère.

Exercice D — Mettez les accents.

1. - Je suis invite a diner apres-demain chez mon frere. 2. - Peut-etre etes-vous fatigue; vous etes-vous repose? 3. - Le theatre est plus interessant que le cinema. 4. - Nous avons achete des timbres et envoye nos cartes. 5. - Vous vous etes fait sans difficulte a la cuisine europeenne. 6. - En general, je me leve tot et je dejeune a 8 heures. 7. - Ou etes-vous alle vous promener hier apres-midi? 8. - L'annee derniere, je n'ai passe que 15 jours en Amerique. 9. - Les fenetres de l'hotel sont fermees. 10. - Il n'a touche que ses appointements. 11. - Il est honnete. 12. - Elle est tres fachee.

Exercice E — Mettez les phrases suivantes 1) au singulier,
2) au passé composé.

1. - Elles vont se promener à la campagne. 2. - Elles font beaucoup de progrès en français. 3. - Elles ont trop à faire aujourd'hui. 4. - Elles mettent trop de temps à s'habiller. 5. - Elles veulent aller au théâtre avec lui. 6. - Elles ne boivent que de l'eau entre les repas. 7. - Elles sont très malades, mais elles sont très bien soignées. 8. - Elles comprennent ce problème de mathématiques. 9. - Ils ne peuvent pas voyager en bateau parce qu'ils ont le mal de mer. 10. - Ils partent pour l'Allemagne après-demain. 11. - Ils ne prennent pas l'avion pour Paris. 12. - Ils savent la poésie par coeur. 13. - Ils s'amusent beaucoup en vacances. 14. - Ils se reposent bien chez eux. 15. - Ils se préparent à partir pour l'Italie. 16. - Ils se couchent tard.

Exercice F — Etudiez les expressions idiomatiques suivantes:

1. - Ne perdez pas votre temps. 2. - Mes chaussures me font mal. 3. - Il prend son petit déjeuner. 4. - Donnez-moi un billet aller et retour pour Paris. 5. - Il y a 2 jours que je suis à Lyon. 6. - Ce chapeau n'est pas à lui, il est à moi. 7. - J'ai trop travaillé, je n'en peux plus. 8. - Son français est mauvais, je n'arrive pas à la comprendre. 9. - Puis-je vous offrir un verre? 10. - Faites attention en traversant la rue. 11. - Elle est allée en France il y a 2 ans. 12. - Ils sont restés chez eux toute la journée. 13. - Il est tard, allons-nous-en. 14. - Il est sans doute à New York en ce moment. 15. - Je me mettrai au travail tout à l'heure. 16. - Personne n'aime aller chez le dentiste. 17. - Je n'ai pas envie de travailler. 18. - Elle porte une robe blanche.

Exercice G — Lisez les phrases suivantes et répétez-les négativement:

1. - Allons-y. 2. - Téléphonez-lui demain. 3. - Apportez-lui son manteau. 4. - Allons-nous-en. 5. - Asseyons-nous ici. 6. - Donnez-leur leurs livres. 7. - Regardez-la. 8. - Prenez-en. 9. - Lave-toi les mains. 10. - Appelez-le. 11. - Ces livres sont à vous, prenez-les. 12. - Ces fruits ne sont pas chers, achetez-en un kilo.

Exercice H — Faites accorder les adjectifs suivants avec les noms qu'ils qualifient dans la phrase:

Masculin	Féminin	Masculin	Féminin	Masc. & Fém.
Excellent	Excellent**e**	Grand	Grand**e**	Domestique
Important	Important**e**	Vert	Vert**e**	Difficile
Contagieux	Contagieu**se**	Bon	Bon**ne**	Agréable
Nouveau	Nouv**elle**	Petit	Petit**e**	Magnifique
Premier	Premi**ère**	Mural	Mural**e**	Rapide
Beau (bel)	Be**lle**	Blanc	Blanc**he**	Rare
Dernier	Derni**ère**	Français	Français**e**	Utile

1. - La France a u.... nouv.... constitution. 2. - Il y a u.... b.... image à l.... prem.... page. 3. - J'ai passé d'excel.... vacances. 4. - Les peintures mur.... sont magnif.... 5. - Nous aimons l.... littérature franç.... 6. - Il a u.... gra.... courage. 7. - La tuberculose est u.... mal contag.... 8. - En été, les feuilles des arbres sont vert.... 9. - J'ai acheté u.... bo.... confiture et u.... bo.... fromage. 10. - Les animaux domes.... sont uti.... et agréab.... 11. - L.... sincérité est rar.... et diff.... 12. - J'habite dans u.... pet.... village. 13. - Il mange u.... b.... pomme. 14. - Elle lui a fait u.... gran.... faveur. 15. - Nous avons u.... be.... appartement. 16. - L.... dern.. page du livre est blan.... 17. - Nous avons gagné u.... bataille import.... 18. - C'est u.... be.... bateau. 19. - L.... der.... conférence était excel.... 20. - Il y a u.... bo.... ascenseur dans cette maison ; il est très rap....

Exercice I — Cherchez l'infinitif des verbes écrits en caractères gras, puis mettez-les au futur:

1. - Le 2 juin, il y a **eu** 5 ans que je suis aux Etats-Unis. 2. - Il n'a **bu** ni vin ni bière. 3. - Je n'ai rien **fait.** 4. - Nous sommes **allés** nous promener. 5. - Avez-vous **pu** y aller? 6. - Ils ont **vendu** leur maison. 7. - J'ai **compris** le problème 8. - Ils n'ont pas **su** leur leçon. 9. - A-t-il **dit** la vérité? 10. - Je **suis** chez moi toute la journée. 11. - Nous avons **lu** le journal. 12. - Je n'ai pas **voulu** en parler.

GRAMMAR

ACCENTS

THERE ARE 3 DIFFERENT ACCENTS

Accent aigu	´	written only on letter "e"
Accent grave	`	written mostly on letter "e" before a mute syllabe or on "a" and "u" to differenciate two words. Ex: La, là
Accent circonflexe	^	written on "a", "e", "i", "o", "u". It often takes the place of an s.

ADJECTIVES

The following adjectives have 2 masculine forms in the singular:

1) **Before a consonant**	2) **Before a vowel**	3) **Plural**
Beau	Bel	Beaux
Nouveau	Nouvel	Nouveaux
Vieux	Vieil	Vieux
Ce	Cet	Ces

Irregular plurals of nouns and adjectives

a) Masculine nouns and adjectives ending with al take aux in the Plural

Ex: Le journal, les journaux — national, nationaux.

Exceptions: Nouns: Les bals, les carnavals, les chacals, les festivals, les récitals, les régals.

Adjectives: navals, finals.

NOTE: These adjectives end with e in their feminine form; add for the plural
Ex: Nationale — nationale**s**.

b) Masculine nouns and adjectives ending with au take x in the plural
Ex: Le bateau — les bateaux.

Possessive Adjectives

SINGULAR			PLURAL
Masculine		**Feminine**	**Masc. & fem.**
Mon		**Ma**, Mon before vowels	**Mes**
Ton		**Ta**, Ton " "	**Tes**
Son		**Sa**, Son " "	**Ses**
	Notre		**Nos**
	Votre		**Vos**
	Leur		**Leurs**

NOTE:
- **Son** is used before masculine nouns:
  Le chapeau = **son** chapeau (**his** or **her** hat)
- **Sa** is used before feminine nouns:
  La main = sa main (**his** or her hand)
- **Ses** is used before masculine and feminine nouns in the plural:
  Ses chapeaux (his or her hats) — **Ses** mains (his or her hands)

GENDER

MASCULINE

— **Final sound "O"** Ex: Le chapeau, le sirop.
Exceptions: La peau, l'eau

— **Ending** L Ex: Le bal

— **Ending** eur For machines Ex: le moteur
For persons Ex: le docteur
and le bonheur, le malheur, le labeur, un honneur

— Names of Countries / Fruits / Flowers not ending with "e" Ex: Le Canada, Le raisin, Le lilas
Exceptions: Le Mexique, le Cambodge
Le chrysanthème, le narcisse

FEMININE

— **Ending** té Ex: La beauté, la santé
Exceptions: le comité, le traité, le pâté, le côté, un été

— **Ending** ille Ex: la famille
Exceptions: Le bacille, mille

— Names of Countries / Fruits / Flowers ending with **e** Ex: La France, la Suisse. La pomme, la poire. La rose.
Exceptions: Le Mexique, le Cambodge
Le chrysanthème, le narcisse

— **Ending** eur Ex: La fleur, la sœur, la peur.
Exceptions: names of machines and persons
and: le bonheur, le malheur, le labeur, l'honneur.

PERSONAL PRONOUNS

<table>
<tr><th>Subject
Used only with verbs</th><th colspan="2">Object
Placed before verbs</th><th colspan="2">Used without or after verbs and prepositions</th></tr>
<tr><td>Je (J')</td><td colspan="2">Me (m')</td><td colspan="2">Moi</td></tr>
<tr><td>Tu</td><td colspan="2">Te (t')</td><td colspan="2">Toi</td></tr>
<tr><td></td><td>Direct object</td><td>Indirect object</td><td>Reflexive</td><td>Used without verb or after prepositions</td></tr>
<tr><td>Il</td><td>Le (L')</td><td>Lui (Y)</td><td>Se (S')</td><td>Lui</td></tr>
<tr><td>Elle *</td><td>La (L')</td><td>Lui</td><td>Se (S')</td><td>Elle</td></tr>
<tr><td>Ils</td><td>Les</td><td>Leur (EN)</td><td>Se (S')</td><td>Eux</td></tr>
<tr><td>Elles *</td><td>Les</td><td>Leur</td><td>Se (S')</td><td>Elles</td></tr>
</table>

Pronouns **NOUS** and **VOUS** remain unchanged whether subject or object.

Pronoun **Y** replaces a word preceded by preposition "à"

It is never used for persons.

Pronoun **EN** replaces a word preceded by preposition "de"

NOTE: — LUI used without verb or after preposition is **only masculine**.
Ex: lui aussi, pour lui, avec lui, chez lui.

— LEUR (To them) has no s Ex: Il leur parle.

— LEUR (Their) has an s in the plural Ex: Leur fille, leurs filles.

— SE is masculine, feminine, singular and plural.

Use the masculine for neutre Ex: **Il** pleut (it rains)
Je **le** sais (I know it)

* Are also used without verb.

VERBS AND TENSES

PRÉSENT

Since "Présent" is the most irregular tense; it is useful to memorize the following:

1) **The 3 persons singular of all verbs have the same pronunciation.**
Ex: je bois, tu bois, il boit. Exceptions: avoir, être, aller.

2) **For the 2 first persons plural only the endings change.**
Ex: Nous buvons
Vous buvez

Exceptions: Nous disons / Vous **dites** — Nous faisons / Vous **faites** — Nous sommes / Vous **êtes**

Therefore it is sufficient to memorize the following:
Je bois, nous buvons, ils boivent

Examples: VOIR (to see) Je vois, nous voyons, ils voient.
LIRE (to read) Je lis, nous lisons, ils lisent.

In the plural the endings are the same for all verbs

Exceptions: Vous dites, faites, êtes.
Ils ont, sont, font, vont.

VISITER	VERBS IN -ER	OTHER VERBS	BOIRE
Je visite	-e	-s	Je bois
Tu visites	-es	-s	Tu bois
Il visite	-e	-t	Il boit
Nous visitons	-ons		Nous buvons
Vous visitez	-ez		Vous buvez
Ils visitent	-ent		Ils boivent

Exceptions:

1) Verbs ending with "-endre" have no "t" at the 3rd person singular:
Prendre: Il prend ("t" is not written after "d").

2) The following verbs: **"pouvoir"**, **"vouloir"**, **"valoir"** take "x" instead of "s" at the 2 first persons singular: je veux, tu veux.

IMPÉRATIF

Use appropriate persons of "Présent" without the subject pronouns.

Ex: **BOIRE**	**VISITER** (1)
Bois	Visite
Buvons	Visitons
Buvez	Visitez

(1) The 2nd person singular of verbs in - ER takes no "S"

The following verbs are irregular in this tense:

ÊTRE	**AVOIR**	**SAVOIR**	**VOULOIR**
Sois	Aie	Sache	Veuille
Soyons	Ayons	Sachons	Veuillons
Soyez	Ayez	Sachez	Veuillez

Note: Offrir, ouvrir, souffrir, couvrir, cueillir, have no S at the 2nd person
Ex: Offre

FUTUR

Add the present tense of **avoir** to the **infinitive** of regular verbs (**ons** and **ez** for avons and avez).

REGULAR VERBS

VISITER

Je visiterai	(visiter + ai)
Tu visiteras	(visiter + as)
Il visitera	(visiter + a)
Nous visiterons	(visiter + ons)
Vous visiterez	(visiter + ez)
Ils visiteront	(visiter + ont)

Final **e** is dropped in verbs ending in **re**: **Vendre**: Je **vendrai**

IRREGULAR VERBS

Boire	**Savoir**
Je boirai	Je saurai
Tu boiras	Tu sauras
Il boira	Il saura
Nous boirons	Nous saurons
Vous boirez	Vous saurez
Ils boiront	Ils sauront

Stem of the future always remains unchanged for all persons (see above)

NOTE: — Use the future tense after **quand, lorsque, dès que, aussitôt que** when future is implied.
— When the main clause is in the future, the "if" clause is in the present tense: Vous **aurez** froid si vous **sortez** sans manteau.

For immediate future use aller + infinitive: Je vais lire.

IMPARFAIT

SAME ENDINGS FOR ALL VERBS: - ais, - ais, - ait, - ions, - iez, - aient.

For irregular verbs, add these endings to the stem of the 1st person plural of the present tense (Except ÊTRE which is regular).

PRENDRE (1st pers. plur. nous **pren**ons)

PRENDRE		ÊTRE	
Je prenais	Nous prenions	J' étais	Nous étions
Tu prenais	Vous preniez	Tu étais	Vous étiez
Il prenait	Ils prenaient	Il était	Ils étaient

Note: The pronunciation is always the same for all persons except "nous" and "vous".

FORME PRONOMINALE

This form is frequently used. It does not always have a reflexive meaning.
Ex: "Cela se fait vite" (This is done quickly)
"Il s'en va" (He is leaving)

. **In this form:**

1) Always use 2 pronouns of the same person
Ex: **je me, nous nous** ...
2) Always use auxiliary ÊTRE
Ex: Je me **suis** lavé, il s'**est** amusé ...
3) Place NE right after the subject
Ex: **Je ne** me suis pas ...
4) Use the definite article (le, la, les) instead of the possessive adjective (Mon, son ...)
Ex: Je me lave **les** mains (I wash **my** hands).

SE LAVER

PRÉSENT		PASSÉ COMPOSÉ
Affirmatif	**Négatif**	
Je **me** lave	Je **ne** me lave **pas**	Je me **suis** lavé(e)
Tu **te** laves	Tu **ne** te laves **pas**	Tu t'**es** lavé(e)
Il **se** lave	Il **ne** se lave **pas**	Il s'**est** lavé
Nous **nous** lavons	Nous **ne** nous lavons **pas**	Nous nous **sommes** lavés
Vous **vous** lavez	Vous **ne** vous lavez **pas**	Vous vous **êtes** lavés
Ils **se** lavent	Ils **ne** se lavent **pas**	Ils se **sont** lavés

LEÇON 20

AUXILIARY VERBS

	ÊTRE		AVOIR	
Présent	Je suis	Nous sommes	J'	Nous avons
	Tu es	Vous êtes	Tu	Vous avez
	Il est	Ils sont	Il	Ils ont
Passé Composé	J'ai été		J'ai	
Futur	Je serai		J'	

NOTE: The following verbs are used with ÊTRE:

Arriver — Partir   Monter — Descendre
Entrer — Sortir   Mourir — Naître
Tomber — Rester   Aller — Venir (& verbs ending with venir)
Retourner

IRREGULAR VERBS

DIRE	FAIRE	ALLER	OFFRIR
PRÉSENT			
Je dis	Je fais	Je vais	J'offre
Tu dis	Tu fais	Tu vas	Tu offres
Il dit	Il fait	Il va	Il offre
Nous disons	Nous faisons	Nous allons	Nous offrons
Vous dites	Vous faites	Vous allez	Vous offrez
Ils disent	Ils font	Ils vont	Ils offrent
PASSÉ COMPOSÉ			
J'ai **dit**	J'ai **fait**	Je **suis allé**(e)	J'ai **offert**
FUTUR			
Je **dirai**	Je **ferai**	**J'irai**	**J'offrirai**

LEÇON 20

PRENDRE	RENDRE	BOIRE	SAVOIR	LIRE
PRÉSENT				
Je **prends**	Je **rends**	Je **bois**	Je **sais**	Je **lis**
Tu prends	Tu rends	Tu bois	Tu sais	Tu lis
Il prend	Il rend	Il boit	Il sait	Il lit
Nous **prenons**	Nous **rendons**	Nous **buvons**	Nous **savons**	Nous **lisons**
Vous prenez	Vous rendez	Vous buvez	Vous savez	Vous lisez
Ils **prennent**	Ils **rendent**	Ils **boivent**	Ils **savent**	Ils **lisent**
PASSÉ COMPOSÉ				
J'ai **pris**	J'ai **rendu**	J'ai **bu**	J'ai **su**	J'ai **lu**
FUTUR				
Je prendrai	Je rendrai	Je boirai	Je **saurai**	Je lirai

VOIR	VOULOIR	POUVOIR	VALOIR	DEVOIR
PRÉSENT				
Je vois	**Je veux**	**Je peux**	**Je vaux**	**Je dois**
Tu vois	Tu veux	Tu peux	Tu vaux	Tu dois
Il voit	Il veut	Il peut	Il vaut	Il doit
Nous voyons	**Nous voulons**	**Nous pouvons**	**Nous valons**	**Nous devons**
Vous voyez	Vous voulez	Vous pouvez	Vous valez	Vous devez
Ils voient	**Ils veulent**	**Ils peuvent**	**Ils valent**	**Ils doivent**
PASSÉ COMPOSÉ				
J'ai **vu**	J'ai **voulu**	J'ai **pu**	Il a **valu**	J'ai **dû**
FUTUR				
Je **verrai**	Je **voudrai**	Je **pourrai**	Il **vaudra**	Je **devrai**

TROISIÈME PARTIE

La langue parlée est la seule vraie langue et la norme à laquelle toutes les autres doivent se mesurer.

Ch. Bally

Vingt et unième (21ème) leçon

ALLONS À LA COMÉDIE FRANÇAISE

Ils consultent les affiches.

1. - Aujourd'hui, on joue l'Avare de Molière à la Comédie Française.
2. - Mireille et son amie Yvonne, **qui** aiment beaucoup cette comédie, **tiennent à** la voir.
3. - Elles ont pris leurs billets depuis plus d'une semaine.
4. - Elles ont de très bonnes places au huitième rang des fauteuils d'orchestre.
5. - « **Viens** me chercher de bonne heure, dit Mireille à Yvonne, je ne veux pas arriver en retard ».
6. - « Je n'y manquerai pas, tu peux compter sur moi».
7. - Yvonne **tient** parole, la salle est encore presque vide quand l'ouvreuse les conduit à leurs places.
8. - Elles lui donnent un pourboire et se mettent à feuilleter le programme **qu'**elles ont acheté à l'entrée.
9. - « **Tiens**! dit Yvonne, regarde, Jacques est assis devant nous au sixième rang; il ne m'avait pas dit qu'**il viendrait** ».
10. - « Chut! Tais-toi! Le rideau se lève; nous le verrons à l'entr'acte ».
11. - Jacques, **qui** les a vues, **vient** leur dire bonjour.
12. - « Demandez nos chocolats glacés, bonbons acidulés, berlingots, dit la vendeuse ».
13. - Jacques, **qui** est très galant, offre des chocolats glacés à Mireille et Yvonne.
14. - « Nous pourrions sortir pour fumer une cigarette et admirer Voltaire dans son fauteuil ».
15. - « J'ai trouvé les acteurs excellents », dit Jacques.
16. - « Malheureusement, le rôle d'Harpagon était joué par un remplaçant . . . »

17. - « Mais un remplaçant **que** j'ai beaucoup apprécié ».
18. - Tous les acteurs ont été très applaudis et la salle était comble.
19. - Mireille, **qui** s'intéresse à la mode, regarde les toilettes des dames.
20. - Yvonne s'amuse à chercher des figures de connaissance.
21. - « Qui est la dame **que** nous **venons de** rencontrer? Il me semble la connaître ».
22. - « Je crois que c'est Madame Dubois, la belle-mère de Pierre ».
23. - « La robe **qu'**elle porte est très élégante, elle lui va très bien ».
24. - « C'est vrai, elle a dû coûter une fortune ».
25. - « Dépêchons-nous, c'est la fin de l'entr'acte, il faut regagner nos places ».

Il vient voir le clown.

Il vient **de** voir le clown.

PRONONCIATION

ien	**in**	**ein - ain**	**oin**
bien	le mat**in**	le **pain**	le **joint**
rien	le bullet**in**	le **saint**	le **coin**
v**iens**	le jasm**in**	**la main**	le bes**oin**
ch**ien**	le dest**in**	la **pein**ture	le **point**
t**iens**	le v**in**	la **cein**ture	le **soin**
s**ien**	**la fin**	**plein**	**moins**
ancien	**vingt**	**la faim**	**loin**

LE GENRE Les noms terminés par le **son** « ɛ̃ » sont masculins.
Exceptions: la main, la fin, la faim.

CONJUGAISON

VENIR

Présent	Passé composé
Je viens	Je **suis** venu
Nous venons	**Futur**
Ils viennent	Je viendrai

TENIR

Présent	Passé composé
Je tiens	J'**ai** tenu
Nous tenons	**Futur**
Ils tiennent	Je tiendrai

NOTE: VENIR et TENIR se conjuguent de la même façon, ainsi que tous les verbes terminés par "venir" et "tenir": De**venir**, pré**venir**, con**tenir**, ob**tenir**, etc. .... Mais aux temps composés, on conjugue le groupe "venir" avec "être" et le groupe "tenir" avec "avoir".

Exercice A — Passé immédiat: Venir de + infinitif.

Ex.: J'ai vu mon ami (I have seen my friend)
Je viens de voir mon ami (I have just seen my friend)

Mettez les phrases suivantes au passé immédiat:

1. - J'ai **fait** un beau rêve. 2. - J'ai **mis** mon manteau neuf. 3. - Nous avons **lu** un bon livre. 4. - Nous avons **eu** de bien longues vacances. 5. - Vous avez **bu** un excellent vin blanc. 6. - Vous avez **pris** une importante décision. 7. - Elle est **arrivée** de Marseille. 8. - Il a **dit** une bêtise. 9. - Ils sont **sortis.** 10. - Ils ont **vu** la nouvelle pièce de théâtre.

(**Avec un verbe pronominal,** le pronom objet est "se" à la 3me personne singulier et pluriel: Se laver — Il vient de **se** laver
Ils viennent de **se** laver.)

1. - Il s'est rasé. 2. - Elle s'est maquillée. 3. - Vous vous êtes reposé. 4. - Vous vous êtes réveillé. 5. - Je me suis coiffé. 6. - Je me suis changé (de vêtements). 7. - Nous nous sommes abonnés à un journal français. 8. - Nous nous sommes mis au travail. 9. - Ils se sont endormis. 10. - Ils se sont installés dans cette belle maison.

Exercice B: Mettez les phrases suivantes 1) à la forme négative, 2) au passé composé, 3) au futur.

1. - Je tiens toujours ma promesse (*to keep*). 2. - Ils tiennent compte de ma situation (*to take into account*). 3. - Il me tient au courant (*to keep informed*). 4. - Nous tenons à l'inviter à dîner (*to insist on*). 5. - Je tiens à ma situation (*to hold on to*). 6. - Vous savez à quoi vous en tenir (*to know the situation*).

PRONOMS RELATIFS

- **qui** — sujet
- **que** — objet direct

Exemples:

	Sujet	Objet	
Les vêtements	qui	me	vont bien sont rares
	qui	te	
	qui	lui	
	qui	leur	
Le docteur	qui	le	soigne est sympathique
	qui	la	
	qui	les	
	qui	nous	
	qui	vous	

	Objet	Sujet		
La maison	que	je	possède	est grande
	que	tu	possèdes	" "
	qu'	il	possède	" "
	que	nous	possédons	" "
	que	vous	possédez	" "
	qu'	ils	possèdent	" "

NOTE: Lorsque le pronom peut être **omis** en anglais, il est toujours objet: *The lady I saw* — La dame **que** j'ai vue.

Il y en a qui ne s'en font pas!

Exercice C: Écrivez **qui** ou **que**:

1. - Les fleurs .... sont dans le vase sont fanées. 2. - J'ai jeté les journaux .... j'ai déjà lus. 3. -Les élèves .... travaillent bien font de rapides progrès. 4. - La robe .... elle a achetée est très jolie. 5. - Comment s'appelle la personne .... vous m'avez présentée? 6. - Avez-vous pris le livre .... était sur la table? 7. - Les dames .... ils ont invitées sont en retard. 8. - C'est la main gauche .... me fait mal. 9. - C'est lui .... veut travailler. 10. - Le film .... vous avez vu la semaine dernière ne se joue plus.

Exercice D: Faites accorder les verbes avec l'antécédent:
Ex: C'est **moi** qui suis . . .

1. - J'aime les fleurs qui (sentir) bon. 2. - C'est moi qui (être) arrivé le premier. 3. - Il ne faut pas sortir, vous qui (être) fatigué. 4. - N'est-ce pas moi qui (avoir) gagné? 5. - Il ne veut pas aider ceux qui ne (faire) rien. 6. - Ceux qui (boire) beaucoup meurent jeunes. 7. - C'est lui qui (vouloir) partir. 8. - Est-ce vous qui (connaître) la victime? 9. - Ce n'est pas lui qui (aller) en France.

Vingt-deuxième (22ème) leçon

IL FAUT SOUFFRIR POUR ÊTRE BELLE

1. - Jacqueline et Marie-Claire sont chez le coiffeur.
2. - Henri, **pourriez-vous** nous prendre tout de suite, **nous voudrions** faire des courses et, comme vous le savez, les magasins ferment à 6 heures.
3. - Bon ! Qu'est-ce que je vous fais ?
4. - **Vous serait**-il possible de nous faire un shampooing, une coupe et une mise en plis le tout en une heure de temps ?
5. - C'est trop juste. Vous n'**aimeriez** certainement pas partir avec les cheveux encore tout mouillés et des bigoudis sur la tête.

Il faut souffrir pour être belle...

6. - Trêve de plaisanteries. Combien de temps vous **faudra-t-il** ?
7. - **Je mettrais** probablement une heure et demie parce que je ne peux pas raccourcir le temps de séchage.
8. - Allez-y, Henri, nous vous accordons une heure et demie, mais pas davantage.
9. - C'est promis. Ne perdons pas de temps ; d'abord le shampooing.
10. - Est-ce que je vous fais une friction ? Pas de friction. Bon.
11. - Maintenant, à la coupe. Comme d'habitude ou bien **voudriez-vous** changer de coiffure ?
12. - Non, non, Henri, pas aujourd'hui, **nous n'aurions pas** le temps d'en discuter à loisir.
13. - Aïe ! Vous me faites mal, ne tirez pas trop sur mes cheveux.
14. - Je vous demande pardon. Que voulez-vous, il faut souffrir pour être belle.
15. - Maintenant, mettez-vous sous ce casque et patientez en lisant les journaux.
16. - Ensuite, un petit coup de peigne pour terminer.

17. - **Pourriez-vous** me crêper un peu les cheveux?
18. - Mais certainement. Eh bien! J'ai tenu parole, n'est-ce pas? Nous avons fini en temps voulu.
19. - C'est parfait, Henri, Combien vous dois-je pour nous deux?
20. - C'est 100 francs, tout compris.
21. - Il ne suffit pas de souffrir pour être belle, il faut aussi payer.

Chez le coiffeur:

— Qu'est-ce que je vous coupe?

CONDITIONNEL — CONJUGAISON

On forme le conditionnel avec le radical du futur et les terminaisons de l'imparfait. Pas d'exceptions.

Infinitif	Futur	Conditionnel	Infinitif	Futur	Conditionnel
être	Je **ser**ai	Je **ser**ais Tu **ser**ais Il **ser**ait	avoir	J'**aur**ai	J'**aur**ais Tu **aur**ais Il **aur**ait
prononciation différente →		Nous **ser**ions Vous **ser**iez	→		Nous **aur**ions Vous **aur**iez
		Ils **ser**aient			Ils **aur**aient
Aller	J'**ir**ai	J'**ir**ais	Faire	Je **fer**ai	Je **fer**ais

NOTE: Comme à l'imparfait, même prononciation pour: Je serais, tu serais, il serait, ils seraient.

— Si elle **partait** plus tôt, elle ne **manquerait** pas son train.

— Si elle **mangeait** beaucoup, elle **grossirait**

Exercice A — Lisez les phrases suivantes, puis remplacez "il" ou "elle" par "vous".

1. — Il irait en France s'il savait le français.
2. — Il voyagerait s'il était assez riche.
3. — Il se soignerait s'il était vraiment malade.
4. — S'il était en retard, il s'excuserait auprès de vous.
5. — S'il dépensait trop d'argent, il se ruinerait.
6. — S'il le voulait, il pourrait m'accompagner au théâtre.
7. — Si elle lisait beaucoup, elle serait savante.
8. — Si elle mangeait trop, elle grossirait certainement.
9. — Si elle allait au Canada, elle verrait sa famille.
10. — Elle manquerait son train si elle partait à 8 heures.
11. — Elle s'ennuierait si elle restait inactive.
12. — Elle s'amuserait si elle pouvait voyager.

Exercice B — Lorsque "qui" et "que" ne sont pas précédés d'un nom, il faut dire: "ce qui" et "ce que" (pas pour les personnes).
Ex.: C'est **ce que** je préfère.
Lisez les phrases suivantes, puis répétez-les négativement.

1. - Prenez ce qui est sur la table. 2. - Buvez ce qui est dans le verre. 3. - Savez-vous ce qui est arrivé? 4. - Je prends tout ce qui m'appartient. 5. - Lavez tout ce qui est sale. 6. - Ce qui lui plaît me déplaît. 7. - Ce qui est fait est fait. 8. - Apportez-moi ce que vous avez acheté. 9. - Il m'a montré ce que vous lui avez donné. 10. - Avez-vous lu ce que j'ai écrit? 11. - Elle parle de ce qu'elle connaît. 12. - Ils vendent tout ce qu'ils possèdent. 13. - Ils font tout ce que je veux. 14. - Ce que femme veut, Dieu le veut.

Exercice C — Verbes intransitifs conjugués avec être.
Lisez les phrases suivantes, puis répétez-les
1) négativement, 2) interrogativement.

1. - Elles sont revenues de vacances bien reposées. 2. - Elles sont montées dans le train. 3. - Elles sont descendues à pied. 4. - Je suis entré dans la maison par la petite porte. 5. - Je suis né à Paris. 6. - Je suis arrivé à faire ce travail en 3 jours. 7. - Vous êtes venu

me voir la semaine dernière. 8. - Vous êtes retourné en France pour un mois. 9. - Vous êtes tombé dans la rue. 10. - Il est parti pour l'Angleterre en avion. 11. - Il est devenu riche en spéculant à la bourse. 12. - Il a dû se reposer, car il était mort de fatigue. 13. - Nous sommes restés dîner chez eux. 14. - Nous sommes allés nous promener avec lui. 15. - Nous sommes sortis de la maison avec elle.

Exercice D — Traduisez les phrases suivantes en mettant les verbes au passé composé:

1. - *We did not drink any wine.* 2. - *He did not go out early.* 3. - *I did not see him at the theater.* 4. - *She was not able to accept my invitation.* 5. - *Didn't you read the papers this morning?* 6. - *I did not want to go and see them.* 7. - *I did not telephone her yesterday.* 8. - *I have not had any time to rest.* 9. - *Did he know his lesson?* 10. - *Where did you put my suitcase?* 11. - *Where did they go?* 12. - *She came without a hat.*

Exercice E — Lisez les phrases suivantes, traduisez-les en anglais, puis de l'anglais en français:

— Où sont les enfants ? Les avez-vous vus ?
— Ils arrivent ; les voilà !
— Nous voilà, nous étions au jardin.
— Vous voilà tous ; mais où est donc Jacques ? Est-il resté au jardin ?
— Non, me voilà ! J'arrive.
— Le voilà, il n'est pas perdu. Te voilà enfin, bandit. Et ta soeur ?
— Elle est restée en arrière ; la voilà.

PRONONCIATION: "ti"

"ti" + voyelle se prononce généralement **"si"** excepté: **"sti"** et les verbes et participes employés substantivement:

Prononcez "si"		Prononcez "ti"
La fraction	STI	La question
La démocratie		La modestie
La patience	**Verbes**	Vous sortiez
Ambitieux		Je retiens
Confidentiel	**Participes**	La sortie
Initial		La partie

IL Y AVAIT UNE FOIS...

(Un vieux conte français)

1. - Un jour, dans une petite ville de France, il y a bien longtemps de cela, il y avait un homme qui était si pauvre qu'il n'avait pour dîner qu'un morceau de pain.
2. - Il le mangeait avec grand appétit, car il avait bien faim, tout **en respirant** avec délice l'odeur que lui apportait la fumée d'un magnifique rôti.
3. - Le cuisinier qui préparait ce rôti pour les clients de son auberge, **apercevant** le pauvre homme, sort de la cuisine et lui demande de lui payer l'odeur de son rôti.
4. - L'homme proteste **disant** qu'il ne lui fait aucun tort et que, n'**ayant** pas touché à son rôti, il ne lui doit rien. Cependant, ni l'un ni l'autre ne **voulant** céder, ils se disputent et les passants, un à un, s'arrêtent pour suivre la discussion, **approuvant** et **blâmant** tour à tour.

Il la fait sonner par terre.

5. - Enfin, le fou du village, **passant** par là, s'offre à rendre la justice. Il demande d'abord une pièce de monnaie au pauvre homme qui la lui donne à contre-cœur, **croyant** que le fou a décidé de le faire payer.
6. - Mais le fou prend la pièce, la lance en l'air, la fait sonner par terre; puis la **rendant** à l'homme, dit au cuisinier: « Il vous a payé l'odeur de votre rôti avec le son de son argent ».

UNE ANECDOTE

1. - L'Impératrice Eugénie était, dit-on, très bavarde.
2. - Un jour qu'elle avait parlé à tort et à travers, son mari, l'Empereur Napoléon III, agacé, lui dit:
3. - « Savez-vous la différence qu'il y a entre vous et un miroir? »
4. - « Je ne vois pas! »

5. — "Le miroir réfléchit et ne parle pas; vous, vous parlez sans réfléchir."
6. — Eugénie qui, nous le savons, n'avait pas sa langue dans sa poche, lui répond du tac au tac:
7. — "Mais vous ne savez certainement pas la différence qu'il y a entre vous-même et ce miroir! Eh bien! lui, il est poli, vous pas".

CONJUGAISON

PARTICIPE PRESENT

Le "Participe présent" se forme en ajoutant "ant" au radical de l'impartait: Je buvais = **buvant** — Il **était** = **étant**.
Exceptions: Avoir = ayant — Savoir = sachant.

Exercice A — Lisez les phrases suivantes, puis répétez-les négativement.

1. - Ils sont partis en courant. 2. - Il faut boire en mangeant. 3. - Je peux travailler en chantant. 4. - Est-elle tombée en descendant l'escalier? 5. - Ronfle-t-il en dormant? 6. - Nous dépensons beaucoup d'argent en voyageant. 7. - Avez-vous peur en prenant l'avion? 8. - Aviez-vous faim en vous mettant à table?

Exercice B — Complétez les phrases suivantes avec: "qui" (ce qui) pour le sujet, "que" (ce que) pour l'objet.

1. - Elle aime tout .... est cher. 2. - La maison .... j'habite est grande. 3. - Je n'achète que .... est bon. 4. - Aimez-vous les livres .... elle écrit. 5. - Les enfants aiment tout .... est sucré. 6. - Je lis le journal .... je viens d'acheter. 7. - Il cherche .... il a perdu. 8. - Je ne sais pas .... vous voulez dire. 9. - La cuisine .... elle fait est engraissante. 10. - Sont-ils riches? C'est .... j'ignore. 11. - Tout .... brille n'est pas or. 12. - Faites attention à l'eau .... vous voulez boire, elle n'est pas propre. 13. - Voilà tout .... je sais. 14. - Les châteaux .... se trouvent sur la Loire sont beaux.

Exercice C — Lisez les phrases suivantes, puis répétez-les:
1) à l'imparfait, 2) au futur, 3) au conditionnel:

1. - Nous aimons beaucoup voyager. 2. - Nous sommes heureux d'aller au théâtre. 3. - Nous ne disons pas tout ce que nous pensons. 4. - Je ne vais jamais me promener à la campagne. 5. - Je veux apprendre le français rapidement. 6. - J'ai souvent besoin de vos conseils. 7. - Ils lisent beaucoup pendant les vacances. 8. -Ils peuvent aller en France cette année. 9. - Ils boivent rarement de la bière. 10. - Vous ne faites rien de très intéressant. 11. - Vous prenez part à toutes les activités de l'association. 12. - Vous ne savez rien d'eux, ni leur âge, ni leur nom. 13. - Il passe le week-end au bord de la mer. 14. - Il n'écrit jamais de cartes postales.

Certains adjectifs ont 2 formes au masculin singulier:

a) **placés devant une consonne:** ce, beau, nouveau, vieux.
b) **placés devant une voyelle:** cet, bel, nouvel, vieil.
Pluriel unique: ces, beaux, nouveaux, vieux.

Féminin singulier: cette, belle, nouvelle, vieille.
Féminin pluriel: ces, belles, nouvelles, vieilles.

NOTE: Ces adjectifs précèdent généralement le nom.

Exercice D — Faites accorder les adjectifs comme indiqué ci-dessus, puis mettez ces phrases au pluriel (remplacez "un" ou "une" par "deux").

1. - J'ai un (old) appartement. 2. - J'ai acheté un (old) livre. 3. - Il a loué une (old) maison. 4. - Elle a un (beautiful) manteau. 5. - Je suis dans un (beautiful) hôtel. 6. - Il y a une (new) agence de voyage dans cette rue. 7. - J'aime (this new) autobus. 8. - Le (new) musée vient d'être inauguré. 9. - (this) ascenseur est (old). 10. - (this) héritage est important. 11. - (this) abricot est bon. 12. - (this) cathédrale est belle.

CONJUGAISON et ORTHOGRAPHE: "g" et "c" devant "e", "i" et "y"

Devant "e", "i", "y"		**Devant une autre lettre**	
g = j	**c = s**	**g = gue**	**c = k**
La pla**g**e	Le ly**c**ée	Le **g**âteau	Le **c**adeau
La **g**irafe	Le **c**inéma	La **g**orge	Le **c**oncert
Le **g**ymnase	Le **c**ycle	Le **g**lobe	Le se**c**ret

On ajoute une cédille (ç) pour conserver le son "s" dans la conjugaison des verbes terminés par "cer": Avancer — Il avançait.
On ajoute "e" après "g" pour conserver le son "j" dans la conjugaison des verbes terminés par "ger": Manger — Nous mangeons.

Exercice E — Mettez les verbes entre parenthèses 1) au présent 2) à l'imparfait:

-cer

1. - Nous (placer) notre argent dans l'industrie. 2. - Le bébé (sucer) son pouce. 3. - Elle (percer) le mystère. 4. - Tu (commencer) à comprendre. 5. - Vous (avancer) bien lentement. 6. - Nous (exercer) nos muscles. 7. - Il (lancer) le ballon.

-ger

1. - Nous (partager) vos soucis. 2. - Il vous (singer). 3. - Nous (nager) bien. 4. - Vous me (juger) mal. 5. - Ils (charger) le camion. 6. - Nous ne (changer) jamais d'(opinion). 7. - Tu (longer) la Seine.

Exercice F — Traduisez les phrases suivantes:

1. - *I have just seen your mother.* 2. - *They have just arrived.* 3. - *We have just subscribed to a French newspaper.* 4. - *You have just had your dinner.* 5. - *He has just washed his hands.* 6. - *I have just telephoned her.* 7. - *She would read many books if she had the time for it.* 8. - *Would you go to France if you could?* 9. - *What would happen if we could not work?* 10. - *They would like to travel a lot.* 11. - *They keep me informed.* 12. - *Does he always keep his promise?*

IL FAUT QUE VOUS TÉLÉPHONIEZ

1. - **Il faut que vous téléphoniez** à Air France **pour que nous sachions** si l'avion arrive bien à l'heure. **Voulez-vous que je le fasse** pour vous?
2. - Faites donc, je vous en prie, vous me rendrez service. **Pourvu qu'il n'ait pas** de retard! En général, il est bien à l'heure.
3. - Allô! Balzac 99-72? Passez-moi les renseignements s'il vous plaît, Mademoiselle... C'est occupé? Eh bien! Je rappellerai...
4. - C'est libre? Non, je ne quitte pas... Les renseignements? Mademoiselle, pourriez-vous me dire à quelle heure arrive l'avion de New York? ... Vol 071?

A la descente de l'avion, il faut qu'ils **passent** à la douane pour les formalités.

5. - Oui, **il arrive qu'il y ait** du retard... **Vous ne croyez pas qu'il y ait** du retard? Très bien.
6. - Allô, allô! Ne coupez pas, Mademoiselle ... Zut! Trop tard! Elle a raccroché. Tant pis, ce n'était pas si important après tout.
7. - Que vouliez-vous lui demander?
8. - Je voulais savoir à quelle heure les voyageurs arrivent aux Invalides. **Je ne veux pas que vous vous dérangiez** trop tôt et **que vous vous fatiguiez** à attendre trop longtemps à la gare.
9. - Nous pouvons évidemment compter qu'ils y seront une heure après l'arrivée, **à moins qu'ils n'aient** une panne en route, ce qui est peu probable.
10. - Je vous remercie de tout le mal que vous vous donnez. Vous avez raison, il faut **que nous comptions** une heure, **bien que** l'aéroport **ne soit** qu'à une demi-heure de Paris, car il y a des formalités douanières qui prennent aussi **pas mal de** temps.
11. - Le téléphone sonne. Qui peut bien nous appeler?

12. - Allo ! Oui, lui-même. **Quoique nous ne sachions pas** encore l'heure exacte de l'arrivée de l'avion, nous pouvons vous dire qu'il est attendu entre 10 et 11 heures.
13. - Entendu, nous lui dirons de vous donner un coup de fil dès son arrivée. Au revoir et à bientôt.
14. - Je crois qu'**il est l'heure que nous partions. Je suis heureux que nous puissions** aller accueillir notre ami tous les deux et lui souhaiter la bienvenue.

— A l'armée

— **Sauve qui peut !**

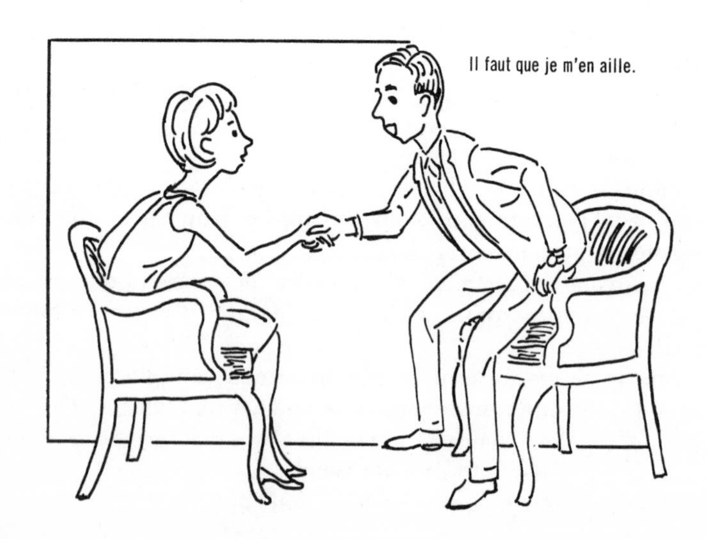

CONJUGAISON **SUBJONCTIF PRESENT**

1) Mêmes TERMINAISONS pour tous les verbes (excepté "être" et "avoir")

-e	-ions
-es	-iez
-e	-ent

Terminaisons irrégulières:

ETRE			AVOIR	
Que je sois	Que nous soyons	:	Que j'aie	Que nous ayons
Que tu sois	Que vous soyez	:	Que tu aies	Que vous ayez
Qu'il soit	Qu'ils soient	:	Qu'il ait	Qu'ils aient

2) **Le RADICAL est basé sur l'indicatif comme suit:**

Indicatif	**Subjonctif présent**
présent: Qu'ils **vienn**ent —	Que je **vienne**
	Que tu **viennes**
	Qu'il **vienne**
	Qu'ils **vienn**ent
Imparfait: Nous **ven**ions —	Que nous **venions**
Vous **ven**iez —	Que vous **veniez**

NOTE: Au singulier et à la 3me pers. plur., la prononciation ne change pas; il en est de même à l'imparfait et au conditionnel, sans exceptions; comparez:

Imparfait	**Cond. prés.**	**Subj. prés.**
Je buvais	Je boirais	Que je boive
Tu buvais	Tu boirais	Que tu boives
Il buvait	Il boirait	Qu'il boive
Ils buvaient	Ils boiraient	Qu'ils boivent

Exceptions: Au subjonctif, 5 verbes ne forment pas leur radical sur l'indicatif, dont 3 conservent le même radical à toutes les personnes:
Faire: Que je **fasse**, que nous **fassions**
Pouvoir: Que je **puisse**, que nous **puissions**
Savoir: Que je **sache**, que nous **sachions**
2 verbes se disent comme à l'imparfait à nous et vous, mais diffèrent aux autres personnes:
Aller: Que j'aille, que nous allions
Vouloir: Que je veuille, que nous voulions.

VERBES IMPERSONNELS: **Pleuvoir:** Qu'il pleuve
Falloir: Qu'il faille

LEÇON 24

Exercice A — 1) Apprenez par coeur les phrases suivantes,
2) Remplacez "elle" par "vous":

1. - Il faut qu'elle s'en aille. 2. - Il faut qu'elle boive son verre de lait. 3. - Il faut qu'elle puisse parler français dans un an. 4. - Il faudra qu'elle s'y fasse*. 5. - Il faudra qu'elle dise la vérité. 6. - Il faudra qu'elle prenne le train à 6 heures. 7. - Pourvu qu'elle ne soit pas en retard! 8. - Pourvu qu'elle vienne demain! 9. - Pourvu qu'elle ait éteint la lumière! 10. - Pourvu qu'elle sache faire la cuisine! 11. - Pourvu qu'elle tienne sa promesse! 12. - Pourvu qu'elle s'en aille à l'heure!

* qu'elle s'y habitue.

Exercice B —

1) **Remplacez les noms précédés de la préposition "à" par: a) "lui"** au singulier (fem. ou masc.), b) "**leur**" au pluriel.
Remplacez les noms employés sans préposition par: a) "**le**", "**la**" (**l'**) au singulier, b) "**les**" au pluriel. (les pronoms **précèdent le verbe et l'auxiliaire**: il **les** a pris; ils ne suivent le verbe qu'à l'impératif positif: Prenez-le)
2) **Répétez ces phrases négativement:**
("ne" précède toujours les pronoms: Il ne les a pas pris).

1. - Elle enlève **ses souliers.** 2. - J'appelle **mon frère.** 3. - Il apporte des bonbons **aux enfants.** 4. - J'ai fait un cadeau **à mes parents.** 5. - J'ai remercié **Paul.** 6. - Il a envoyé une lettre **à Jean.** 7. - J'ai ôté **ma robe.** 8. - Connaissez-vous **Jacqueline**? 9. - Avez-vous téléphoné **à ma soeur?** 10. - Avez-vous invité **les étudiants**? 11. - Remontez **la pendule** tout de suite. 12. - Prenez les **livres bleus.** 13. - Téléphonez **à vos amis.** 14. - Faites un cadeau **à votre mère.**

Exercice C — Mettez les phrases suivantes au singulier:

1. - Nous allons nous promener au soleil. 2. - Nous voulons nous occuper de lui. 3. - Nous pouvons nous amuser avec eux. 4. - Nous venons de nous lever. 5. - Ils vont se préparer à partir. 6. - Ils veulent s'excuser de leur retard. 7. - Ils peuvent se tromper. 8. - Ils viennent de se mettre à table. 9. - Vous savez vous faire valoir. 10. - Vous arrivez à vous faire plaindre. 11. - Vous apprenez à vous exprimer en français. 12. - Vous dites vous intéresser aux sciences. Est-ce vrai?

CONJUGAISON

PRESENT:	DIRE	OUVRIR	VOIR
	Je dis	J'ouvre	Je vois
	Tu dis	Tu ouvres	Tu vois
	Il dit	Il ouvre	Il voit
	Nous disons	Nous ouvrons	Nous voyons
	Vous dites	Vous ouvrez	Vous voyez
	Ils disent	Ils ouvrent	Ils voient
PASSE COMPOSE:	J'ai dit	J'ai ouvert	J'ai vu
FUTUR:	Je dirai	J'ouvrirai	Je verrai

IMPARFAIT: Même radical que la lère pers. plur. (nous), excepté être: Nous sommes = J'étais, nous étions.

CONDITIONNEL: Même radical que le futur, sans exception.

SUBJONCTIF: Comme l'imparfait pour "nous" et "vous" (nous voyions), même radical que "ils" au présent pour les autres personnes: Ils disent = que je dise.

NOTE: 1) Remarquez: Vous dites, comme vous êtes et vous faites.
2) Couvrir, offrir et souffrir se conjuguent comme ouvrir.

Exercice D — Mettez les verbes entre parenthèses aux temps voulus:

Je sais que vous (être) absente demain et que vous (être) très occupée en ce moment. Vous (faire) beaucoup de choses ainsi que vous me le (dire) dans votre lettre. Que (faire)-vous de la vie? Vous n'en profitez guère. Vous vous (faire) trop de soucis. Vos amis me (dire) que vous n'avez plus le temps de leur rendre visite. Leur avez-vous (dire) la vérité? Je vous propose de vous remplacer une semaine. Qu'en (dire)-vous? Je le (faire) avec plaisir si vous (dire) que cela peut vous aider. (Dire) que vous acceptez et ce sera (faire).

Ma mère m'a (offrir) un voyage en Europe. J'ai (voir) beaucoup de belles choses, mais au retour, j'ai (souffrir) de l'estomac. Demain, je (voir) un docteur à ce sujet. Avez-vous déjà (ouvrir) la boîte de bonbons que je vous ai envoyée? Vous ne (souffrir) pas de l'estomac pour les avoir mangés, j'en suis sûr. Comment va Alice? Je sais que vous la (voir) souvent; (faire)-lui mes amitiés quand vous la (voir). Je vous (dire) au revoir et à bientôt.

Exercice E — Ecrire le subjonctif présent des verbes suivants en se rapportant à l'explication: Prendre, dire, venir, devoir, sortir, apprendre.

TANT MIEUX

Il fait beau et le ciel est bleu
Tant mieux
Nous irons nous promener à la campagne
Tous les deux
Bras dessus bras dessous

C'est l'été et les fruits sont mûrs
Tant mieux
Nous en mangerons en nous promenant
Tous les deux
Bras dessus bras dessous

L'eau de la rivière est claire et fraîche
Tant mieux
Nous nous y baignerons et y nagerons
Tous les deux
L'un à côte de l'autre

L'herbe de la rive est épaisse et douce
Tant mieux
Nous nous y coucherons et y dormirons
Tous les deux
Dans les bras l'un de l'autre.

RESTEZ JEUNE; FAITES DU SPORT!

1. - Voilà l'été qui approche, je vais enfin pouvoir me remettre au tennis et à la natation, dit Christian.
2. - Mais on peut aussi en faire l'hiver, lui répond Geneviève.
3. - Oh, non! J'aime jouer au grand air.
4. - L'hiver, je patine dans le parc.
5. - C'est du reste le court de tennis qui sert de patinoire.
6. - J'apprends à valser et à faire des 8 sur la glace, c'est très amusant, je t'assure.
7. - Je fais aussi des courses avec mes amis et je gagne quelquefois.
8. - Mais au printemps, il n'y a plus de glace et on ne joue pas encore au tennis.
9. - Mais il reste encore beaucoup de sports que l'on peut pratiquer en hiver, dit Geneviève.
10. - Tu peux faire de l'équitation, du football, de l'escrime, du patin à roulettes, du yoga, de la danse, etc...
11. - Tu n'as que l'embarras du choix, il me semble.
12. - Bien sûr, mais l'équitation coûte cher en ville. L'escrime aussi est un peu au-dessus de mes moyens.
13. - Le football, le patin à roulettes et la danse ne m'intéressent pas.
14. - Reste le yoga qui est un excellent sport, mais je préfère le judo.
15. - C'est un sport violent, mais utile.
16. - On peut avoir à se défendre dans la vie, il y a tant d'agressions, de crimes, etc...
17. - C'est bien vrai. Cela peut aussi servir dans d'autres occasions.
18. - Je connais par exemple un homme, grand sportif, qui est tombé dans un précipice en montagne.
19. - Il n'a eu que des égratignures; un autre en serait mort.
20. - Sans aucun doute, mais c'est surtout pour notre plaisir que nous faisons du sport, à mon avis.
21. - Vive le sport! Un sportif reste toujours jeune!

PRONOMS POSSESSIFS

SINGULIER		PLURIEL	
Masculin	**Féminin**	**Masculin**	**Féminin**
Le mien	La mienne	Les miens	Les miennes
Le tien	La tienne	Les tiens	Les tiennes
Le sien	La sienne	Les siens	Les siennes
Le nôtre	La nôtre	Les nôtres	
Le vôtre	La vôtre	Les vôtres	
Le leur	La leur	Les leurs	

NOTE: Après "être", on emploie généralement les pronoms personnels toniques "à moi", "à lui" ... (voir leçon 11).

Exercice A — Traduisez les pronoms possessifs mis entre parenthèses.

1. - La maison blanche est (mine) ; (theirs) est grise. 2. - La robe que j'ai lavée est (hers), je n'ai pas lavé (yours). 3. - Il m'a remercié de la montre que je lui ai envoyée; (his) était cassée. 4. - La pluie qui tombe est bonne pour votre jardin et pour (mine). 5. - Le livre que je lis est (his), il n'est pas (mine). 6. - Les recettes de ce livre de cuisine sont bonnes; (mine) sont meilleures. 7. - Votre montre retarde, (mine) avance, (theirs) marchent bien. 8. - Mon appartement est petit, (theirs) est grand. 9. - Ces livres ne sont pas (ours), ils sont (theirs) ; (ours) ont été vendus. 10. - Aimez-vous son manteau? — Oui, mais (yours) est plus joli. 11. - Nos secrétaires sont capables, (yours) sont jeunes et (his) sont vieilles. 12. - Cette automobile n'est pas (theirs), elle est (mine) ; (theirs) est plus petite.

Exercice B — Apprenez par coeur les phrases suivantes, puis remplacez "bien que" par "quoique":

1. - Nous sortons bien qu'il fasse froid. 2. - Il travaille bien qu'il soit fatigué. 3. - Il viendra bien qu'il n'en ait pas envie. 4. - Nous prendrons l'avion bien que nous en ayons peur. 5. - Ils seront à la gare dès 6 heures bien que le train ne parte qu'à 7 heures. 6. - J'ai peur des fantômes bien que je n'y croie pas. 7. - Nous aimons ce tableau bien que nous en voyions les défauts. 8. - J'irai en France bien

que je ne sache pas un mot de français. 9. - Elles n'aiment pas leur bureau bien qu'elles disent le contraire. 10. - On vous le reprochera bien que vous n'y puissiez rien.

Exercice C — 1) Remplacez les noms précédés d'une préposition par "lui" et les autres noms par "le" ou "la" placé avant le verbe auquel il se rapporte.
2) Répétez ces phrases négativement.
3) Mettez les pronoms au pluriel: "leur" — "les".

1. - J'irai voir **ma soeur** la semaine prochaine. 2. - Elle saura faire **ce travail** sans modèle. 3. - Nous voulons parler à **Mme Bertrand** tout de suite. 4. - Vous pourrez vendre **votre maison** un bon prix. 5. - Je mettrai beaucoup de temps à répondre **au directeur.** 6. - Elle voulait téléphoner **à sa mère** pour lui dire de venir **la** voir. 7. - Ils pourront renseigner **votre frère** sur cette affaire. 8. - En y allant souvent, vous arriverez à trouver **M. Charles** chez **lui.** 9. - Il dira **à sa fille** de prendre l'avion pour Paris. 10. - Voudriez-vous faire ce plaisir **à mon amie?** 11. - Je m'efforce de comprendre **Pierre.** 12. - Il s'imagine pouvoir plaire **à Yvonne.** 13. - Elle dit être capable de surmonter **cette difficulté.** 14. - Je pense connaître **cette personne.**

Le château de Versailles

Exercice D — 1) Etudiez ces phrases
2) Répétez-les à l'imparfait: "Il avait beau . . ."
("avoir beau" = although — in spite of)
("avoir beau faire" "avoir beau dire" = no matter what)

Le soleil a beau briller, il fait froid

1. - Le soleil a beau briller, il fait froid. 2. - J'ai beau expliquer, il ne comprend pas. 3. - Vous avez beau vous habiller chaudement, vous avez froid quand il fait moins dix. 4. - Nous avons beau étudier, nous ne pouvons pas tout savoir. 5. - Il a beau donner de l'argent, personne ne l'aime. 6. - Elle a beau se priver, elle ne maigrit (maigrissait) pas. 7. - J'ai beau travailler, je n'arrive pas à joindre les 2 bouts. 8. - Les paysans ont beau prier Dieu, la pluie ne tombe pas. 9. - Il a beau boire, il a toujours soif. 10. - Il a beau dire, la situation qu'il offre n'est pas intéressante. 11. - Nous avons beau faire, nous n'avons jamais assez d'argent. 12. - Vous aurez beau faire, vous ne serez pas un très grand artiste.

Exercice E — La voix passive est peu usitée en français; on l'évite en employant le pronom "on". Traduisez les phrases suivantes par la forme active avec "on": Ex. This house was being built = On construisait cette maison.

1. - *I was told to come.* 2. - *He was sent to a good school.* 3. - *My car is being repaired.* 4. - *This child is being spoilt* (gâter). 5. - *I was advised to stay home.* 6. - *The animals are being well fed* (nourrir). 7. - *It has been given to me in good condition.* 8. - *These books are being sold for one dollar.* 9. - *I was given a very good book.* 10. - *I have been asked to lecture.* 11. - *He is said to be a good doctor.* 12. - *You are wanted on the telephone.*

LES PATINEURS

LE GENRE:

Les mots terminés par "T" sont MASCULINS

Sauf exceptions, on ne prononce pas un "T" final.

		EXCEPTIONS		
		Prononcez le "T"		**FEMININ**
Le chocolat	Le budget	Est	Intact	La nuit
Le candidat	Le secret	Ouest	Suspect	La dent
Le consulat	Le regret	brut	Exact	La mort
Le contrat	Le bonnet	tact	Contact	La part
Le syndicat	Le buffet	net	Correct	La forêt
Le doctorat	Le sujet			
Le crédit	Le billet			
Un escargot	Le carnet			
Le résultat	Le sommet			

Exercice F —

Terminaisons masculines: -age, -eau, -l, -t (leçons 1, 11, 17)
Terminaisons féminines: -ure, -ence, -tion, -ette, -té, -ille (leçons 4, 5, 7, 13, 15, 17)

Faites accorder les articles et adjectifs avec les noms qu'ils accompagnent:

1. - (This) lait est (fresh). 2. - (The) bouteille est (full). 3. - Il habite dans (a small) village. 4. - J'ai (a) chapeau (new). 5. - (His) correspondance est (important). 6. - Tournez (the) page. 7. - J'ai eu (a great) déception. 8. - (His) serviette est (white). 9. - Mes bagages sont (heavy). 10. - J'ai vu (a fat) rat. 11. - (This) sculpture est (beautiful). 12. - Les feuilles des arbres sont (green). 13. - Il y a (a beautiful) soleil. 14. - (My) manteau est (old). 15. - (Her) bracelet est (broken). 16. - J'ai (the) sommeil (light).

Vingt-sixième (26e) leçon

UN DÉJEUNER À LA CAMPAGNE

1. - 120 à l'heure! Vous êtes fou! **Ralentissez**, je vous en prie.
2. - Mais non! Ne **pâlissez** pas ainsi, Catherine, il ne nous arrivera rien du tout.
3. - Le moins qui puisse nous arriver est d'avoir une contravention pour excès de vitesse. Je vous **avertis** que je ne veux pas avoir d'amende à payer.
4. - Ne **gémissez** pas comme ça et **finissez** de vous en faire car nous voilà arrivés à bon port. Voici l'auberge dans laquelle je vous invite à déjeuner.
5. - Quelle bonne idée d'avoir **choisi** cet endroit en pleine campagne!
6. - Oui, il est **ravissant**, surtout au printemps quand les arbres **fleurissent** et **verdissent.**
7. - Il ne doit pas être moins attrayant en automne quand les feuilles **jaunissent**.
8. - Maintenant, à table! Je suis sûr que tout le monde meurt de faim comme moi.
9. - **Je veux bien**, le grand air m'a ouvert l'appétit; mais j'ai peur que toutes ces bonnes choses me fassent **grossir**.
10. - Faites une exception pour aujourd'hui et ne vous préoccupez pas de votre ligne.
11. - Jetez un coup d'œil sur le menu; vous verrez que tout a l'air excellent. Ce serait dommage de ne pas goûter à tout.
12. - Je vous envie, vous mangez comme un ogre sans que cela

Emmenez-la à la campagne...

... **en** auto,

... **à** bicyclette,

se voie; on dirait même que plus vous mangez, plus vous **maigrissez.**

13. - Et vous, plus vous **vieillissez**, plus vous **embellissez**; on dirait même que vous **rajeunissez.**
14. - J'ai un secret: Je ne travaille pas beaucoup et je fais beaucoup de sport, ce qui m'empêche non seulement de **grossir** mais encore de **vieillir.**
15. - Vous avez bien raison. En attendant, mangeons avant que notre repas ne **refroidisse.**
16. - Après le déjeuner, nous irons faire un tour dans la forêt.
17. - Moi, je propose que, quand nous aurons **fini**, nous allions d'abord nous rafraichir dans l'eau claire du lac.
18. - Excellente idée, allons faire une course de natation. Qui m'aime me suive!

. . . et **à** pied.

TOUT CE QU'ELLE AIME . . .

CONJUGAISON — VERBES EN - IR

PRÉSENT

1) **Terminaison:** Faire précéder la terminaison des verbes irréguliers par l'infixe « i » au singulier, « iss » au pluriel.

Finir	Grandir	Terminaison
Je fin**is**	Je grand**is**	- is
tu fin**is**	tu grand**is**	- is
il fin**it**	il grand**it**	- it
nous fin**issons**	nous grand**issons**	- issons
vous fin**issez**	vous grand**issez**	- issez
ils fin**issent**	ils grand**issent**	- issent

Impératif: Comme le présent.

2) **Terminaison:** Mettre l'infixe « iss » à toutes les personnes aux temps suivants:

Imparfait	Subjonctif présent	Participe présent
Je fin**issais**	Que je fin**isse**	Finissant

3) **Terminaison:** Pas d'infixe aux temps suivants:

Futur	Conditionnel présent	Passé composé
Je finirai	Je finirais	J'ai fini

NOTE: Pour les verbes en -ir irréguliers, voir les pages de grammaire.

Exercice A: Mettez un article à chacun des mots suivants.

.... dessert, ... canal, ... chaleur, ... dessin, ... pomme, ... beauté, ... animal, ... vin, ... appartement, ... rougeur, ... capital, ... dos, ... matin, ... bracelet, ... bonheur, ... château, ... biscuit, ... quart.

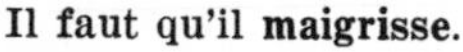
Il faut qu'il **maigrisse**.

Il faut qu'il **réfléchisse**.

Exercice B: Mettez les verbes entre parenthèses aux temps voulus.

1. Les arbres (fleurir) et (verdir) au printemps et (jaunir) en automne. 2. - Nous (chérir) nos enfants. 3. - La blanchisseuse (blanchir) le linge. 4. - Je (choisir) la liberté. 5. - Le docteur a (guérir) le malade. 6. - Elle s'est (évanouir). 7. - Ils se sont (enrichir) à la bourse. 8. - Elle mangeait beaucoup et ne (grossir) pas, elle (maigrir) même. 9. - Ne vous (salir) pas les mains. 10. - (Réfléchir) avant de vous décider. 11. - (Unir)-nous pour vaincre. 12. - On n'(embellir) pas en (vieillir). 13. - Ils s'(assagir) en (grandir). 14. - Quand le moment sera venu, je vous (avertir). 15. - S'il peut, il (fournir) le matériel. 16. - Si nous avions un dictateur, nous (subir) sa tyrannie. 17. - Si vous étiez raisonnable, vous (obéir) à vos parents. 18. - Il faut que je (saisir) cette occasion. 19. - Que Dieu vous (bénir). 20. - Mangez avant que la soupe ne (refroidir).

PRONOMS NEUTRES: Le pronom neutre "it" se traduit de plusieurs façons, d'après sa fonction dans la phrase:

Sujet : "**il**" = **Il** est 4 heures (**It** is 4).
"**ce**" (c') = C'est vrai (**It** is true).

Objet direct : "le" (l') = Je **le** sais (I know **it**).
(Ces pronoms sont également masculins)

Objet indir. : "y" = J'y tiens (I hold on to **it**).
(Le pronom "y", étudié leçon 16, est seulement neutre; il s'emploie comme "lui" pour les personnes) :
Il y répond = He answers **it**.
Il **lui** répond = He answers him (or her).

Exercice C — Traduisez les phrases suivantes:

1. - *I am wrong, I admit it.* 2. - *Why so much noise? Do you understand it?* 3. - *It is snowing?* 4. - *It is easy, he can do it alone.* 5. - *It is late, let us go.* 6. - *I like this newspaper, I am going to subscribe to it.* 7. - *His book is not finished, he is working at it.* 8. - *Do you believe in it?* 9. - *He likes music, he is very much interested in it.* 10. - *It is very hot in Summer.* 11. - *I have an examination at the end of the year, I am getting ready* (se préparer) *for it.* 12. - *She does not want her son to study music, she is opposed to it.*

COMPOSITION FRANCAISE

Tout jeune Napoléon était très maigre
Et officier d'artillerie
Alors il prit du ventre et beaucoup de pays
Et le jour où il mourut il avait encore
Du ventre
Mais il était devenu plus petit

Jacques Prévert (1900-)

Exercice D — 1) Apprenez par coeur les phrases suivantes;
2) Remplacez "je" par "nous" (Je veux = I want, wish. Je veux bien = I agree).

1. — Ils ne veulent pas que je boive du vin tous les jours.
2. — Ils ne veulent pas que j'aille en Floride cet hiver.
3. — Ils ne veulent pas que je leur dise des mensonges.
4. — Ils ne veulent pas que je sois triste.
5. — Ils ne veulent pas que je fasse la cuisine pour eux.
6. — Ils ne veulent pas que je maigrisse trop.
7. — Ils ne veulent pas que je sache la vérité sur cette affaire.

8. — Ils veulent bien que je lise leurs livres.
9. — Ils veulent bien que j'ouvre leurs lettres.
10. — Ils veulent bien que je les emmène au théâtre.
11. — Ils veulent bien que j'apprenne le violon.
12. — Ils veulent bien que je parte pour l'Italie.
13. — Ils veulent bien que je devienne pharmacienne.
14. — Ils veulent bien que je finisse mes études rapidement.

Exercice E — 1) Répétez ces phrases oralement.
2) Répétez-les négativement.

1. - Achetez-moi du jambon. 2. - Ce vin est bon, buvez-en. 3. - Ce restaurant est bon, allez-y. 4. - Assieds-toi dans ce fauteuil. 5. - Elle est belle, regardez-la. 6. - Si vous aimez la musique de Debussy, écoutons-la et parlons-en. 7. - Apportez-moi mon manteau neuf. 8. - Donnez-leur ces livres. 9. - Allons-nous-en. 10. - Ces gants sont à vous, prenez-les. 11. - Ce travail est facile, faites-le. 12. - Ce gâteau est excellent, prenez-en. 13. - C'est une exposition intéressante, allons-y 14. - Elle attend votre réponse, répondez-lui tout de suite.

Rien ne pèse tant qu'un secret;
Le porter loin est difficile aux dames,
Et je sais même sur ce fait
Bon nombre d'hommes qui sont femmes.

Jean de La Fontaine (1621-1695)

Exercice F: Mettez les phrases suivantes 1) au futur
2) au passé composé

1. - Le train **n**'arrive **qu**'à 6 heures. 2. - Ils **ne** sortent **qu**'à la nuit. 3. - Nous **ne** commençons à étudier **qu**'à 3 heures. 4. - Je **ne** déjeune **qu**'à 10 heures. 5. - Elles **ne** viennent me voir **qu**'après dîner. 6. - Ils **ne** vont en France **qu**'au printemps. 7. - Ils **ne** se mettent au travail **qu**'après l'arrivée du patron. 8. - Ils **ne** prennent le métro **qu**'à 9 h. 9. - Ils **ne** peuvent s'endormir **qu**'au matin. 10. - Ils **ne** boivent **qu**'après dîner avec leurs amis.

Vingt-septième (27ème) leçon

ELLES FONT LEURS COURSES

1. - Marie, soyez gentille, allez m'acheter **un litre** d'huile d'olive, **une demi-livre** de fromage râpé, **un kilo** de farine, du sel, du poivre et du vinaigre de vin à l'épicerie du coin.
2. - Passez aussi à la boulangerie et prenez-y 2 **baguettes**, une **flûte** et 6 **religieuses** pour le dessert.
3. - N'oubliez pas de ranger dans le réfrigérateur tout ce qui pourrait s'abîmer par cette chaleur; il doit faire plus de **30 degrés** aujourd'hui.
4. - Ensuite, pensez à faire le ménage! Nous allons sortir pour faire des courses dans les magasins, Monique et moi.
5. - Daniel, pourrais-tu nous déposer au Bon Marché en allant au bureau?
6. - Avec plaisir. Je finis de me raser et je suis à vous.
7. - Filons. il est assez tard et la circulation va devenir impossible.

— Il lui arrive aussi de faire les courses!

Dans le magasin:

8. - Je n'ai plus rien à me mettre pour l'automne; il faut absolument que je me fasse faire quelque chose avant les premiers froids.
9. - Pourquoi n'achèterais-tu pas un ensemble tout fait? Il y en a de ravissants au 3ème, dans la nouvelle collection de **prêt-à-porter**.
10. - Il n'y aurait probablement pas ma taille et je préfère choisir moi-même mon tissu. Je crois que je prendrai un lainage léger.
11. - (A un vendeur.) A quel étage se trouve le rayon des tissus, s'il vous plaît? Au quatrième? Merci.

12. - Crois-tu que **4 mètres 50** suffiront pour me faire une robe? Ça dépend de la façon évidemment.
13. - Fais-moi penser à aller ensuite au rayon d'alimentation au rez-de-chaussée, pour acheter des escargots.
14. - A propos d'escargots, dit Monique, Madeleine m'a raconté une petite histoire assez drôle.
15. - Un jour, après une averse, il y avait pas mal d'escargots dans son jardin.
16. - Elle les ramasse pensant réaliser une économie en les préparant elle-même.
17. - Suivant la recette de son livre de cuisine, elle les met dans de l'eau salée et les laisse sur l'évier.
18. - Le lendemain, il y avait un escargot sur la vitre de sa fenêtre, un autre se baladait sur la table, un troisième, plus intelligent, se dirigeait vers le jardin, un quatrième... Bref, il y en avait partout!
19. - Depuis, elle fait comme nous, elle achète ses escargots tout préparés.

LEÇON 27

DIFFÉRENCE SÉMANTIQUE DES FORMES VERBALES

CERTAINS VERBES ONT UN SENS DIFFÉRENT EN CHANGEANT DE FORME

Ex: Demander (to ask) / se demander (to wonder)
Rendre (to give back) / se rendre à (to go to)

COMPAREZ

FORME ACTIVE

1) **Mettre** = *to put, to take*
Je mets ma robe. Je mets 1 heure pour aller au bureau.
2) **Passer** = *to spend, to pass*
Je passe 1 semaine à Paris
Je passe devant la maison
Je lui passe le sel
3) **Charger** = *to load*
Je charge le camion
Je le charge
Je charge le révolver
Je le charge
4) **Attacher** = *to tie*
J'attache le ruban
Je l'attache
J'attache le chien
5) **Faire** = *to do*
Je fais mon devoir
Je le fais
Je fais attention (to **pay** attention)
Je fais faire une robe.
Je la fais faire
6) **Aller à** = *to go to*
Je vais à l'école, j'y vais
7) **Rendre** = *to return, to give back*
Je rends le livre
Je le rends
8) **Apercevoir** = *to see, to notice*
J'aperçois le Mont Blanc
Je l'aperçois

FORME PRONOMINALE

1) **Se mettre à** = *to start*
Je me mets au travail.
Je m'y mets.
2) **Se passer de** = *to do without*
Je me passe de vin.
Je m'en passe.
3) **Se charger de** = *to take care of*
Je me charge de l'achat de la maison
Je m'en charge
4) **S'attacher à** = *to grow fond of*
Je m'attache à mon chien
Je m'y attache.
5) **Se faire à** = *to get used to*
Je me fais au froid
Je m'y fais
S'en faire = *to worry*
Je me fais des soucis
Je m'en fais.
Je ne m'en fais pas
6) **S'en aller** = *to leave*
Je m'en vais
7) **Se rendre à** = *to go to*
Je me rends à Paris
Je m'y rends.
Je ne m'y rends pas
8) **S'apercevoir de** = *to realize*
Je m'aperçois de mon erreur
Je m'en aperçois.

Exercice A — 1) Remplacez "lui" par "leur".
2) Remplacez l'infinitif par le subjonctif comme suit:
Il lui arrive de perdre = Il arrive qu'il perde.
(sometimes he loses).

1. — Il lui arrive de prendre l'avion de 8 h.
2. — de s'absenter une semaine.
3. — de se mettre en colère.
4. — de s'en aller avant moi.
5. — de se faire attendre une h.
6. — de boire un peu trop.
7. — de vouloir travailler.
8. — de punir son fils.
9. — de perdre de l'argent.
10. — d'être en retard au bureau.
11. — d'avoir peur.

Exercice B — 1) Remplacez les mots précédés de "à" par "y".
2) Remplacez les mots précédés de "de" ou d'un nombre par "en".

1. - J'ai 10 livres français; combien **de livres français** avez-vous? 2. - Il fait froid en Russie; je ne me fais pas **au froid.** 3. - Cette lettre est urgente; il faut répondre **à cette lettre** tout de suite. 4. - Malheureusement, j'aime fumer; je ne peux pas me passer **de fumer.** 5. - Il a 4 exercices à faire; il n'a encore fait que **2 exercices.** 6. - J'ai perdu mes livres et j'ai besoin **de mes livres** pour travailler. 7. - Il faut que nous allions au Mexique; nous nous rendrons demain **au Mexique.** 8 - Vous n'avez pas encore commencé à étudier; il faudra vous mettre **à étudier.** 9. - Ces gâteaux sont bons; elle a acheté **2 gâteaux.** 10. - Vous n'avez pas encore préparé votre voyage; il faudra penser **à votre voyage.** 11. - Si les formalités vous ennuient, je peux me charger **des formalités.** 12. - Je vous prie **de ne** pas me **remercier.**

LE GENRE

Les noms terminés par "-ISME" sont tous MASCULINS

Le rhumat**isme**	Le journal**isme**	Un idéal**isme**
Le snob**isme**	Le romant**isme**	Un optim**isme**
Le social**isme**	Le mécan**isme**	Le réal**isme**
Le patriot**isme**	Le capital**isme**	Le cyn**isme**

Exercice C — Remplacez "elle" par "vous":

1. - Je lui laisserai les livres pour qu'elle choisisse. 2. - Je la paierai pour qu'elle blanchisse mon linge. 3. - Je l'aiderai pour qu'elle réussisse. 4. - Je la soignerai pour qu'elle guérisse. 5. - Je lui donnerai un tablier pour qu'elle ne se salisse pas. 6. - Je lui enverrai la commande pour qu'elle fournisse le matériel. 7. - Je ne lui donnerai que des légumes et de la viande pour qu'elle maigrisse. 8. - Je lui donnerai des bonbons pour qu'elle obéisse à ses parents.

DONT = **whose, of which: Le pronom relatif "dont" remplace un nom précédé de la préposition "de":**

Ex.: Les fenêtres **de la maison** sont vertes.
La maison dont les fenêtres sont vertes est à vendre.

Exercice D — Refaites les phrases suivantes comme indiqué ci-dessus avec "dont" et ajoutez les mots mis entre parenthèses:

1. - Les enfants **de cette dame** sont en France (est bien seule). 2. - Les pieds **de la table** sont cassés (est à moi). 3. - La cuisine **de l'appartement** est trop petite (est à louer). 4. - Nous avons besoin **de ce livre** (est cher). 5. - L'affaire dépend **de mon frère** (est malade). 6. - On accuse Paul **d'un crime** (a été commis la semaine dernière). 7. - Ils viennent **d'un pays** (est) très beau. 8. - Je parle **d'une pièce de théâtre** (est) de Voltaire. 9. - Vous avez hérité **d'une fortune** (est) immense. 10. - Ils ont la jouissance **d'une propriété** (est) magnifique. 11. - Il s'agit **d'un travail** (est) difficile. 12. - Nous avons besoin de Marcel (est absent).

Forme active   Forme pronominale

TANT PIS

Il pleut aujourd'hui
Tant pis
Je mettrai mon manteau de pluie
Voilà tout!

Les voyages sont chers
Tant pis
J'irai tout de même à Paris, à Nice, etc....
C'est sûr!

Les gâteaux font grossir
Tant pis
J'en mangerai quand même certainement
Pas vous?

Bien des plaisirs sont défendus
Tant pis
Est-ce une raison pour s'en passer?
Mais non!

On dit: la vie est courte
Tant pis
Il faut donc tous vite en profiter
Mais oui!

Vingt-huitième (28ème) leçon

VOUS NOUS AVEZ MANQUÉ HIER

1. - Pourquoi n'êtes-vous pas venu hier à notre cocktail?
2. - Parce que **je commençais** à avoir mal à la gorge.
3. - Je déteste être malade, faire venir le médecin, prendre des remèdes, garder le lit, etc...
4. - Et je sais **ce dont** je parle, l'année dernière, j'ai eu un mal de gorge qui a dégénéré en pneumonie.
5. - Alors, maintenant, dès que j'ai le moindre petit bobo, je me soigne énergiquement.
6. - Je comprends que vous **craigniez** les maladies, mais vous nous avez bien manqué hier.
7. - Il est très dommage que vous n'ayez pas pu vous **joindre** à nous.
8. - Bien que nous ayons envoyé un nombre **restreint** d'invitations, il y avait beaucoup de monde.
9. - Nous avions invité ces amis de St-Tropez **dont** vous vouliez faire la connaissance.
10. - Il y avait plusieurs artistes, **ceux** qui **peignent** si bien, **ceux** et **celles** qui jouent de la guitare et qui chantent en s'accompagnant.
11. - **Celui** que j'ai préféré était un chanteur aux cheveux blonds qui **changeait** de voix à volonté.
12. - Il imitait une voix de femme à la perfection.
13. - Guy a préféré une petite danseuse aux cheveux **teints** et aux yeux langoureux qui **feignait** de le trouver à son goût.
14. - Il y a aussi eu un petit incident qui nous a bien amusés:
15. - A onze heures moins le quart, la lumière **s'est éteinte.**
16. - Nous avons d'abord cru que c'était une bonne plaisanterie, une farce qu'on nous jouait.
17. - Mais c'était tout bonnement une panne d'électricité.
18. - Il a fallu aller chercher des bougies, ce qui, comme chacun le sait, crée une ambiance particulièrement sympathique.
19. - Quel dommage que ce stupide mal de gorge m'ait empêché d'être des vôtres!

Exercice A: Remplacez « vous » par « il ».

1. - **Quel dommage** que vous habitiez si loin! 2. - **Quel dommage** que vous ne sachiez pas jouer aux cartes! 3. - **Quel dommage** que vous ne

puissiez pas partir avec nous en vacances! 4. - **Quel dommage** que vous soyez au régime! 5. - **Quel dommage** que vous ayez donné tous vos disques! 6. - **Quel dommage** que vous ne buviez que de l'eau!

PRONOMS DÉMONSTRATIFS

	Masculin	Féminin	
Singulier:	**CELUI**	**CELLE**	Before: Qui, que, dont, de.
Pluriel:	**CEUX**	**CELLES**	

Otherwise use the same pronouns followed by **Ci** or **Là**.

Singulier:	**CELUI-CI**	**CELLE-CI**
	CELUI-LÀ	**CELLE-LÀ**
Pluriel:	**CEUX-CI**	**CELLES-CI**
	CEUX-LÀ	**CELLES-LÀ**

Ceux qui chantent en s'accompagnant.

Exercice B: Complétez les phrases avec celui, celle, ceux, etc...

1. - Choisissez parmi ces livres .... que vous voulez emporter, et laissez .... qui ne vous intéresse pas. 2. - J'ai deux apéritifs, préférez-vous .... ou ....? 3. - Lequel de ces messieurs est votre père? Est-ce .... qui parle? — Non, ce n'est pas .... 4. - J'ai trouvé un sac, est-ce .... que vous cherchez? Non, ce n'est pas .... 5. - Mon mari est blond, ... de ma sœur est brun. 6. - Voici deux robes: quelle est .... que vous voulez? — Je veux .... 7. - J'aime vos chaussures, je n'aime pas .... qu'elle a achetées. 8. - Ce chapeau est .... de ma sœur, ... de ma mère est noir. 9. - .... travaille, ... ne fait rien. 10. - Il est pauvre, ... dont vous parlez est riche. 11. - De tous ces disques, quel est .... que vous désirez acheter ? 12. - Cet enfant est triste, ... est gai.

CONJUGAISON **ÉTEINDRE**

Présent	**Imparfait**	**Participe présent**	**Temps réguliers**
J'**étein**s tu **étein**s il **étein**t nous **éteign**ons vous **éteign**ez ils **éteign**ent	J'**éteign**ais **Passé composé** J'ai éteint **Subjonctif** Que j'**éteign**e	**éteign**ant	**Futur** j'éteindr**ai** **Conditionnel** j'éteindr**ais**

TOUS LES VERBES EN -INDRE SE CONJUGUENT SUR CE MODÈLE.

Exercice C: 1) Donnez l'infinitif des verbes employés ci-dessous
2) Remplacez « elle » par « nous ».

1. - Elle **se teint** les cheveux. 2. - Elle **se plaint** du froid. 3. - Elle mange peu; elle **se restreint** pour maigrir. 4. - Elle **s'astreint à** un travail fatigant. 5. - Elle **éteint** la lumière. 6. - Elle **geint** toute la journée. 7. - Elle **feint** l'ignorance. 8. - Elle **craint** les reproches. 9. - Elle **repeint** son appartement. 10. - Elle ne **joint** pas les 2 bouts. 11. - Elle n'**atteint** pas son but. 12. - Elle **plaint** le malade.

Exercice D: Traduisez les phrases suivantes en anglais, puis de l'anglais en français.

1. - New York est la plus grande ville des États-Unis. 2. - C'est le restaurant le moins cher de la ville. 3. - C'est le plus petit appartement de l'immeuble. 4. - Paris est la plus belle ville du monde. 5. - Je suis le plus mauvais élève de la classe. 6. - C'est l'écrivain le plus intéressant de la littérature française. 7. - Montréal est la plus grande ville du Canada. 8. - C'est la meilleure pièce de l'année.

Note: Après un superlatif employez «**de**» et non «dans».

Exercice E: Mettez ces phrases au subjonctif
Ex: Il est impossible qu'ils ...

1. - Il leur est impossible de faire ce travail. 2. - Il leur est impossible de venir aujourd'hui. 3. - Il leur est impossible de prendre l'avion ce soir. 4. - Il leur est impossible d'y aller. 5. - Il leur est impossible d'être à l'heure. 6. - Il leur est impossible d'avoir des enfants.

Nos grand-mères s'**astreignaient** à un travail fatigant.

Qu'est-ce qu'il est en train d'attendre?

LEÇON 28

LE GENRE

MASCULIN

LES NOMS:

D'ARBRES	DE VINS
Le pommier	Le Champagne
Le poirier	Le Bourgogne
Le cerisier	Le Bordeaux
Le chêne	Le Beaujolais
Le peuplier	Le Sauternes
Le saule	Le Cognac

LES ADJECTIFS ET LES ADVERBES EMPLOYÉS COMME NOMS

Le bien — Le mal

Le bas — Le haut

Un intérieur — Un extérieur

Un passif — Un actif

PRONOMS INTERROGATIFS

Pour les personnes

QUI (Sujet ou objet)

Ex: Qui parle?
Qui appelez-vous?

Pour les choses

QU'EST-CE QUI (Sujet)

Ex: Qu'est-ce qui arrive?

QUE ou **QU'EST-CE QUE**

(Objet direct)

Ex: Que voulez-vous?
Qu'est-ce que vous voulez?

QUOI Après une préposition ou sans verbe.

Ex: De quoi parlez-vous?

Pour les personnes ou les choses

LEQUEL

LAQUELLE

LESQUELS

LESQUELLES

Pour indiquer le choix, l'alternative, excepté s'il y a 2 dénominations: **Que** préférez-vous, les pommes ou les poires?

Ex: Voici 2 tableaux; lequel préférez-vous?

Exercice F: Employez les pronoms qui conviennent dans les phrases suivantes:

1. - .... attendez-vous, Jean ou Alice? 2. - .... attendez-vous, le tramway ou l'autobus? 3. - .... faut-il inviter? 4. - .... de neuf? 5. - .... veut-il? 6. - ....de ces deux garçons est votre cousin? 7. - A .... pensez-vous? 8. - .... de ces livres est le plus intéressant? 9. - A .... parlez-vous, à lui ou à moi? 10. - J'ai rencontré un ami; devinez ....? 11. - Je veux vous faire un cadeau; .... vous ferait plaisir? 12. - .... de plus amusant que les voyages? 13. - .... préférez-vous, le vin ou la bière? 14. - .... savez-vous en histoire de France? 15. - Dans .... de ces maisons habitez-vous? 16. - Il y a beaucoup d'employés dans ce bureau; avec .... travaillez-vous?

FORME PROGRESSIVE

ÊTRE EN TRAIN DE... + INFINITIF

Exercice G: a) Mettez les phrases suivantes à la forme progressive: Il lit = Il est en train de lire.

b) Mettez ensuite les phrases obtenues à l'Imparfait et complétez-les (avec « quand ... ») suivi du Passé Composé.

Ex: Il **était en train** de lire quand le téléphone **a sonné**.

1. - Je m'habille. 2. - Nous travaillons. 3. - Elle mange. 4. - Vous mentez. 5. - Je fais la cuisine. 6. - Il s'excuse. 7. - Il livre la marchandise. 8. - Vous écrivez à votre mère. 9. - Nous écoutons la musique. 10. - Je mets le couvert.

FÊTONS LA RÉPUBLIQUE

Le pessimiste

1. - Je ne vais jamais pouvoir dormir avec leur musique.

L'optimiste

2. - Eh bien! Si vous ne dormez pas, pourquoi ne viendriez-vous pas danser dans la rue avec nous?
3. - Je n'en ai absolument aucune envie.
4. - Pourquoi ne pas fêter le 14 juillet comme tout le monde? Même les étrangers y prennent part, les Anglais, les Allemands, les Américains, les Espagnols, les Italiens, les Autrichiens, etc...
5. - Je déteste les foules et le bruit.
6. - Moi, j'aime voir la revue le matin, le feu d'artifice le soir, et danser sous les lampions. J'éprouve d'ailleurs une secrète satisfaction à être de ceux qui entravent la circulation.
7. - Moi, je suis de ceux qui enragent de ne pas pouvoir circuler et dormir à leur aise.
8. - Je vous plains sincèrement. Alors, profitez de ces jours de congé pour aller à la campagne prendre un bol d'air. En ce qui me concerne, je suis heureux de fêter la République.
9. - La République! Laquelle? Et d'abord, ce n'est pas la République que l'on fête le 14 juillet, c'est la prise de cette bonne vieille Bastille que je regrette bien. Car je ne fête pas la destruction des monuments historiques, moi.
10. - Mais c'est à la prison royale que nous pensons.

Un rébus:

11. - D'abord la Bastille a été construite pour défendre Paris. Mais, il est vrai qu'elle a très tôt servi de prison.
12. - C'est la disparition de cette prison que nous fêtons aujourd'hui.
13. - . . . qui a été promptement remplacée par la Santé.
14. - Essayez donc de partager l'enthousiasme de nos ancêtres lorsqu'ils ont pris la Bastille. Le 14 juillet 1789, ils luttaient pour obtenir la liberté et l'égalité.
15. - Bel idéal qui est encore le nôtre comme le rappellent nos pièces de monnaie: LIBERTÉ • ÉGALITÉ • FRATERNITÉ. •

LA CHAMBRE DES DÉPUTÉS.

Exercice A: Mettez les phrases suivantes au pluriel.

1. - Tu étudieras que tu le veuilles ou non. 2. - J'y resterai que je m'y plaise ou non. 3. - Je t'aimerai toujours que tu sois riche ou pauvre. 4. - Que je sache la vérité ou que je l'ignore, cela m'est tout à fait égal. 5. - Que je prenne une bonne ou une autre, je suis toujours mal servie. 6. - Que j'en fasse peu ou beaucoup, il n'est jamais satisfait.

LE PALAIS DE L'ÉLYSÉE où réside le président de la République.

LA PLACE DE LA BASTILLE À PARIS.

CONJUGAISON **LES VERBES EN - YER** Employer, envoyer, essuyer, etc...

DEVIENT I DEVANT E MUET (Terminaisons e, es, ent...)

EMPLOYER

Présent

J'emploie
tu emploies
il emploie
nous employons
vous employez
ils emploient

Futur

J'emploierai
tu emploieras
il emploiera
nous emploierons
vous emploierez
ils emploieront

Conditionnel

J'emploierais

Impératif

Emploie
Employons
Employez

Subjonctif

Que j'emploie
tu emploies
il emploie
nous employions
vous employiez
ils emploient

Imparfait

J'employais

Passé composé

J'ai employé

Participe présent

Employant

Exceptions:

1) Les verbes en - AYER comme PAYER conservent le Y ou non (au choix)
On peut écrire: « Je paye » ou « je paie ».

2) ENVOYER et RENVOYER sont irréguliers au futur et au conditionnel. On dit « J'envoie » (présent) mais « J'enverrai » (futur), « J'enverrais » (conditionnel).

Exercice B: Remplacez « je » par « nous ».

1. - Il faut que je m'en aille. 2. - Je n'aime pas ce travail, mais il faut que je m'y fasse. 3. - Ce problème est difficile, mais il faut que je le comprenne. 4. - J'aime beaucoup la France, c'est bien dommage que je ne puisse pas y passer mes vacances. 5. - Il est bien dommage que je ne sache pas jouer au tennis! 6. - J'irai à Lyon bien que je n'en aie pas envie. 7. - Je travaille, bien que je n'en aie pas besoin! 8. - Il est tard; pourvu que j'arrive à l'heure! 9. - Pourvu que je sache ma leçon! 10. - Pourvu que je ne sois pas malade! 11. - Elle a peur que je boive trop. 12. - Mon père est heureux que j'aie bien passé mes examens.

— Pourvu que je sache ma leçon!

L'ADVERBE SE FORME SOUVENT AVEC **L'ADJECTIF** (au féminin) + **ment** Ex: Lent — lentement

Exceptions:	**Adverbes**	**Adjectifs**
	BIEN	Bon
	MAL	Mauvais
	GENTIMENT	Gentil

ATTENTION:
Dites VITE
Ne dites pas ~~vitement~~

REMARQUES: L'ADVERBE accompagne le verbe (Ex: Il travaille mal)

L'ADJECTIF ACCOMPAGNE le nom (Ex: un mauvais travail)

Comparatif		**Superlatif**	
Plus facile	Plus facilement	Le plus facile	Le plus facilement

Exercice C: Trouvez les adverbes dérivés des adjectifs suivants:

Seul, oral, sot, sec, franc, fort, cordial, égal, rare, facile, rapide, juste, ancien, actif, vif, faux, nouveau, plein, entier, chaud, heureux, certain, pauvre, faible, dernier, riche, troisième, dixième.

PRONONCIATION ENCHAÎNEMENT VOCALIQUE

Exercice D: Prononcez une suite de sons voyelles sans interruption, d'un même souffle.

1. - Il a été en France. 2. - J'ai acheté un livre. 3. - J'ai invité une amie au concert. 4. - Tu arrives à étudier en t'amusant. 5. - L'avion est arrivé à Orly. 6. - J'ai eu envie de parler anglais et espagnol. 7. - Tu as eu une invitation à la campagne. 8. - Peu à peu, elle apprend à être sage et aimable. 9. - Où as-tu appris à être si adroite? 10. - Elle a appris à écrire et à aimer la lecture. 11. - Où est le pont où il y a une statue? 12. - Elle a envoyé une lettre.

Exercice E: Faites accorder les participes passés avec le sujet (verbes conjugués avec être).

1. - Nous sommes (aller) nous promener. 2. - Elles sont (arriver) hier. 3. - Ils sont (rester) chez eux. 4. - Alice est (tomber) dans la rue. 5. - Elles sont (venir) me voir ce matin. 6. - Sont-ils (entrer) dans ce musée? 7. - A quelle heure sont-elles (partir)? 8. - Nous sommes (sortir) de bonne heure. 9. - Ce film était intéressant. Nous y sommes (retourner) 3 fois. 10. - Où sont-elles (naître), à Paris ou à New York?

Exercice F: Faites accorder les participes passés avec l'objet direct seulement si celui-ci est placé avant (conjugués avec avoir

Ex: Nous avons acheté des fleurs.
Nous les avons achetées.

1. - Les robes que j'ai (acheter) sont belles. 2. - Nous ne les avons pas encore (mettre). 3. - Elles ont (voir) une pièce de théâtre hier soir. 4. - Elles l'ont (trouver) très intéressante. 5. - Le docteur a (soigner) beaucoup de malades. 6. - Il les a tous (guérir). 7. - Ils ont (apprendre) leur leçon par cœur. 8. - Puis, ils l'ont (réciter). 9. - Je leur ai (donner) du chocolat. 10. - Je les ai (inviter) à dîner.

Exercice G: Mettez les phrases suivantes au singulier.

1. - Envoyez-vous cette lettre? 2. - Nous ne nous ennuyons jamais. 3. - Elles nettoyaient la maison. 4. - Appuyez sur ce bouton. 5. - Ne vous noyez pas dans un verre d'eau. 6. - Vous n'employez jamais le subjonctif; vous avez tort. 7. - Nous vivons dangereusement, nous côtoyons toujours un précipice. 8. - Nous essuyons la vaisselle. 9. - S'il y a un beau clair de lune, les chiens aboieront toute la nuit. 10. - Nous n'allons pas à cette réunion, nous nous y ennuierions.

Exercice H: Traduisez en français:

1. - He knows you are going to France. 2. - I am glad you speak English. 3. - I have to go to work. 4. - She thinks he will be able to come back. 5. - It is impossible you do not understand my reasons. 6. - I believe he has seen the play. 7. - He wants you to do this job quickly. 8. - He gives her money so that she can study. 9. - He wants me to stay with him. 10. - Paris is the oldest city I know.

Exercice I: 1) Traduisez les phrases suivantes.
2) Mettez-les au singulier.

1. - Vous serez en retard **à moins que** vous **ne** preniez un taxi.
2. - Ils sortiront ce soir **à moins que** leurs cousins **ne** viennent les voir.
3. - N'y allez pas, **à moins que** vous **n'**y teniez absolument.
4. - Ils travailleront **à moins qu'**ils **ne** soient malades.
5. - Nous y serons ce soir, **à moins que** nous **ne** puissions **pas** nous libérer.
6. - Nous ferons ce voyage **à moins que** nous **n'**ayons **pas** assez d'argent.

Trentième (30ème) leçon

POURQUOI PAUL APPRIT LE FRANÇAIS

1. - Tous les amis de Paul passaient leurs vacances en France. Paul **voulut** donc en faire autant.
2. - Il **alla** à Air France et **prit** un billet aller et retour pour Paris.
3. - « Mais tu ne parles pas un mot de français, lui **dirent** ses amis. »
4. - « Cela ne fait rien, dit-il, tout le monde parle anglais en France. »
5. - Et en effet, dans l'avion, les hôtesses de l'air s'exprimaient fort bien en anglais, leur léger accent ne faisant qu'ajouter à leur charme. Paul était ravi.
6. - Cependant, une fois à Paris, le nombre des personnes avec lesquelles il pouvait parler **alla** se raréfiant.
7. - L'achat d'un dictionnaire **s'imposa**. Il **regretta** de ne pas avoir pris quelques leçons de français avant son départ comme ses amis **le lui** avaient conseillé.
8. - Il lui **arriva** quelques petites aventures amusantes du fait de son ignorance.
9. - Ainsi, un jour qu'il faisait chaud (on était au mois d'août), il **entra** dans un café dans l'intention de boire une bière bien fraîche.
10. - Lorsque le garçon **s'approcha**, Paul **commanda** avec assurance: « Un beer, s'il vous plaît ».
11. - Le garçon **crut** avoir compris et **apporta** un apéritif Byrrh au grand étonnement de Paul.
12. - Comprenant qu'il s'était mal exprimé, il **essaya**, avec un peu moins d'assurance, une autre phrase: « Une glace de beurre ».
13. - Cette fois le garçon ne **comprit** rien et **trouva** plus facile de parler par gestes. Il **montra** successivement du beurre, de la glace, tout, sauf de la bière, hélas!
14. - Heureusement, il y avait à côté de Paul un client qui dégustait un demi. Il **désigna** au garçon la consommation de son voisin et **put** enfin se désaltérer.
15. - Après cette petite aventure, qui ne **fut** pas unique, il **décida** de suivre des cours de français dès son retour, et maintenant il se débrouille bien en français.

Place de la Concorde.

St-Germain-des-Prés.

CONJUGAISON **LE PASSÉ SIMPLE:**

Le passé simple ne s'emploie pas en conversation. Il a la valeur du passé composé, mais concorde avec l'imparfait; c'est un passé historique. Il a 3 différentes terminaisons:

VERBES EN « ER »	VERBES EN « IR » « RE »	VERBES EN « OIR »
je parl**ai**	je fin**is**	je voul**us**
tu parl**as**	tu fin**is**	tu voul**us**
il parl**a**	il fin**it**	il voul**ut**
nous parl**âmes**	nous fin**îmes**	nous voul**ûmes**
vous parl**âtes**	vous fin**îtes**	vous voul**ûtes**
ils parl**èrent**	ils fin**irent**	ils voul**urent**

NOTE: Les verbes en **-re** et **-oir** étant souvent irréguliers, cette classification ne vaut que pour la majorité, certains verbes en **-oir**, comme **voir**, ont les terminaisons de **finir** (**je vis**); d'autres en **-re** ont leurs terminaisons comme **vouloir** (**boire**): (**je bus**). Enfin les verbes **venir**, **tenir**, et composés ont une terminaison spéciale:

VENIR		AVOIR		ÊTRE	
je vins	nous vînmes	**j'eus**	nous eûmes	**je fus**	nous fûmes
tu vins	vous vîntes	tu eus	vous eûtes	tu fus	vous fûtes
il vint	ils vinrent	il eut	ils eurent	il fut	ils furent

Exercice A: 1) Remplacez **je** par **nous.**

2) Mettez à la forme négative.

1. - Je **le lui** donnerai de bon cœur. 2. - Je **le lui** dirai. 3. - Je **le lui** offrirai pour son anniversaire. 4. - Je **le lui** enverrai par la poste. 5. - Je **le lui** apporterai. 6. - Je **le lui** achèterai. 7. - Je **le lui** ferai. 8. - Je **le lui** pardonnerai. 9. - Je pourrai **le lui** annoncer. 10. - Je **le lui** demanderai.

Exercice B — Mettez au passé simple les verbes entre parenthèses:

1. - Il (venir) me voir vers 8 heures. 2. - Nous (avoir) une longue conversation. 3. - Ils (parler) longtemps. 4. - Elle me (répondre) tout de suite. 5. - Je ne (savoir) jamais la vérité. 6. - Vous (être) très admirée. 7. - Elle ne (boire) que de l'eau et ne (manger) que du pain. 8. - Il (prendre) son chapeau et s'en (aller). 9. - Je lui (téléphoner) pour prendre de ses nouvelles. 10. - Nous (approcher) de Paris. 11. - Il (finir) par mettre la main à la pâte. 12. - Ils (rougir) de plaisir.

Exercice C — Traduisez et faites accorder les mots entre parenthèses:

1. - L'arbre qui porte des cerises s'appelle (the) cerisier, celui qui porte des prunes s'appelle (the) prunier, celui qui porte des pêches s'appelle (the) pêcher. 2. - (the) Champagne est un produit (of the) Champagne. 3. - Elle s'est mariée sur (the) tard. 4. - (the) mieux est l'ennemi (of the) bien. 5. - Il se plaint pour (a) oui, pour (a) non. 6. - J'aime les fruits (of the) pommier. 7. - (the) Bourgogne est une belle province qui produit un excellent vin: (the) Bourgogne. 8. - (the) chêne est un gros arbre qui porte de petits fruits appelés glands. 9. - Je ne peux pas atteindre (the) haut de l'armoire. 10. - Elle a (a) extérieur agréable.

Exercice D — Remplacez les noms en gras par un pronom et comparez avec l'anglais.

1. - Vous n'avez pas répondu **à ma question.** 2. - Nous nous approchons **de Paris.** 3. - Je cherche **mes gants.** 4. - Vous ne ressemblez pas **à votre frère.** 5. - Ecoutons **ce bel orchestre.** 6. - Il n'a pas exécuté **mes ordres.** 7. - J'ai téléphoné **à Christiane.** 8. - Il n'obéit pas **à son père.** 9. - Avez-vous répondu **à Jacques?** 10. - Entrez **dans cette maison.**

Exercice E—Refaites les phrases suivantes en employant "avoir beau": Bien que le soleil brille, il fait froid = Le soleil a beau briller, il fait froid (voir ex.D, p.166)

1. - Bien que les livres coûtent cher, j'en achète beaucoup. 2. - Bien qu'ils soient jeunes, ils veulent commander. 3. - Quoi que je fasse, j'ai

toujours la grippe en hiver. 4. - Bien qu'il soit riche, il est très regardant. 5. - Bien qu'elle soit vieille, elle veut travailler. 6. - Quoi que nous fassions, il y aura toujours des malheureux. 7. - Bien que nous soyons pauvres, nous sommes heureux. 8. - Je sortirai quoiqu'il pleuve. 9. - Quoiqu'il sache le français, il préfère parler anglais. 10. - Quoique vous soyez gourmand, vous mangez peu.

Exercice F — Répétez les phrases suivantes puis remplacez "vous" par "elle".

Il est dommage

1. — que vous ne puissiez pas voyager.
2. — que vous ne sachiez pas le français.
3. — que vous ne vouliez pas étudier.
4. — que vous ne buviez pas de Champagne.
5. — que vous ne partiez pas pour l'Italie.
6. — que vous ne fassiez jamais d'exercices.
7. — que vous ne lisiez jamais aucun journal.
8. — que vous ne voyiez jamais rien.
9. — que vous ne teniez jamais vos promesses.
10. — que vous n'appreniez pas le karaté.
11. — que vous n'alliez pas au théâtre.

ODELETTE

Les demoiselles de ce temps
Ont, depuis peu, beaucoup d'amants,
On dit qu'il n'en manque à personne:
L'année est bonne.

Nous avons vu, les ans passés,
Que les galants étaient placés,
Mais, maintenant, tout en foisonne:
L'année est bonne.

Le temps n'est pas bien loin encor
Qu'ils se vendaient au poids de l'or,
Et, pour le présent, on les donne:
L'année est bonne.

Le soleil de nous rapproché,
Rend le monde plus échauffé,
L'amour règne, le sang bouillonne,
L'année est bonne.

Voiture (1597-1648)

LEÇON 20

POUR FAIRE LE PORTRAIT D'UN OISEAU

Peindre d'abord une cage
avec une porte ouverte
peindre ensuite
quelque chose de joli
quelque chose de simple
quelque chose de beau
quelque chose d'utile
pour l'oiseau

Placer ensuite la toile contre
un arbre
dans un jardin
dans un bois
ou dans une forêt
Se cacher derrière l'arbre
sans rien dire
sans bouger...
Parfois l'oiseau arrive vite
mais il peut aussi bien mettre
de longues années
avant de se décider

Ne pas se décourager
attendre
attendre s'il le faut pendant
des années
... Quand l'oiseau arrive
s'il arrive
observer le plus profond silence
attendre que l'oiseau entre dans
la cage
et quand il est entré
fermer doucement la porte
avec le pinceau
puis
effacer un à un tous les barreaux
en ayant soin de ne toucher
aucune des plumes de l'oiseau
Faire ensuite le portrait de l'arbre
en choisissant la plus belle
de ses branches
pour l'oiseau
peindre aussi le vert feuillage et
la fraîcheur du vent
la poussière du soleil
et le bruit des bêtes de l'herbe
dans la chaleur de l'été
et puis attendre que l'oiseau se
décide à chanter
Si l'oiseau ne chante pas
c'est mauvais signe
signe que le tableau est mauvais
mais s'il chante c'est bon signe
signe que vous pouvez signer
alors vous arrachez tout
doucement
une des plumes de l'oiseau
et vous écrivez votre nom dans
un coin du tableau.

Jacques Prévert.

L'INVITATION AU VOYAGE

Mon enfant, ma sœur,
Songe à la douceur
D'aller là-bas vivre ensemble!
Aimer à loisir
Aimer et mourir
Au pays qui te ressemble!
Les soleils mouillés
De ces ciels brouillés
Pour mon esprit ont des charmes
Si mystérieux
De tes traîtres yeux,
Brillant à travers leurs larmes.

Là, tout n'est qu'ordre et beauté,
Luxe, calme et volupté.

Des meubles luisants,
Polis par les ans,
Décoreraient notre chambre;
Les plus rares fleurs
Mêlant leurs odeurs
Aux vagues senteurs de l'ambre,
Les riches plafonds,
Les miroirs profonds,
La splendeur orientale,
Tout y parlerait
A l'âme en secret
Sa douce langue natale.

Là, tout n'est qu'ordre et beauté,
Luxe, calme et volupté.

Vois sur ces canaux
Dormir ces vaisseaux
Dont l'humeur est vagabonde;
C'est pour assouvir
Ton moindre désir
Qu'ils viennent du bout du monde.
Les soleils couchants
Revêtent les champs,
Les canaux, la ville entière,
D'hyacinthe et d'or;
Le monde entier s'endort
Dans une chaude lumière.

Là, tout n'est qu'ordre et beauté,
Luxe, calme et volupté.

— Charles Baudelaire

LEÇON 30

Notre-Dame jalouse, immobile et sévère...

DEVINETTES de Jacques Prévert

Il peut être grand ou petit.
Il a deux pieds, quelquefois trois, ou même pas de pieds du tout.
Il peut avancer sans bouger et faire un bruit épouvantable et
vous jeter à bas du lit.
Mais si vous lui donnez une petite tape, vous n'entendrez plus parler
[de lui.

Le réveille-matin

Qu'est-ce qui a deux ailes
qui ne vole pas
et qui joue de la trompette
surtout l'hiver
quand on le met
dans le fil ou la soie?

Le nez

EXERCICES DE RÉVISION

Exercice A: 1) Remplacez les mots en caractères gras par des pronoms.
2) Mettez ces phrases à l'impératif affirmatif et **négatif.**

1. - Nous écoutons **la musique**. 2. - Nous remercions **nos parents**. 3. - Nous envoyons un cadeau **à Alice**. 4. - Nous demandons l'addition **au garçon**. 5. - Nous apportons des livres **aux enfants**. 6. - Vous regardez **cette vieille maison**. 7. - Vous buvez **ce bon vin blanc**. 8. - Vous achetez **cet excellent parfum**. 9. - Vous mangez **de la soupe**. 10. - Vous prenez **du gâteau**.

Exercice B: Traduisez en français. (Employez le futur quand il est nécessaire après **quand** et **dès que** ou **aussitôt que** = as soon as.)

1. - They will travel when they have enough money. 2. - When they come, tell them to rest. 3. - I will go home as soon as the work is done. 4. - When I am in Paris, I will visit le Louvre. 5. - In summer, as soon as the sun shines, it is warm. 6. - He will give you the book as soon as he receives it. 7. - You will wear this coat when it gets colder. 8. - You will have time to rest when you have a maid. 9. - We will buy the book as soon as it is published. 10. - We will do the exercice as soon as we can. 11. - When I am tired, I rest. 12. - When he was a little boy, he used to watch television every night.

Exercice C: Traduisez en anglais et de l'anglais en français.

1. - Ce chapeau ne me va pas du tout, il est trop petit. 2. - Elle va chercher son fils à l'école. 3. - Faites-lui mes amitiés. Je n'y manquerai pas. 4. - La critique de ce film était mauvaise, je ne tiens pas à le voir. 5. - Nous avons envie d'aller passer nos vacances en Europe. 6. - Elle est sortie sans chapeau. 7. - Ils viennent de se marier. 8. - Je me mets au travail tous les jours à 8 heures et demie. 9. - On lui a donné de longues vacances. 10. - Pourvu qu'il fasse beau demain! 11. - Où sont nos amis? Les voilà. 12. - Ils sont partis en chantant.

LEÇON 30

La Sainte-Chapelle.

Exercice D: Mettez les articles devant les noms suivants:

1. - Il boit ...... bon vin. 2. - Nous mangeons ...... restaurant. 3. - Il achète ...... fleurs. 4. - Je n'aime pas ...... lait. 5. - Nous buvons ...... bière. 6. - Je prends ...... avion. 7. - Elle va ...... bureau tous les jours. 8. - Vous avez ...... bonne confiture de fraise.

Exercice E: Mettre les verbes entre parenthèses au subjonctif.

1. - Il ne **veut** pas **que** j'(aller) le voir. 2. - **Il arrive que** le train (avoir) du retard. 3. - **Pourvu qu**'elle (savoir) faire la cuisine! 4. - **Il faut que** vous (faire) attention. 5. - Il travaille beaucoup, **bien qu**'il ne (être) plus jeune. 6. - Je ne ferai pas ce travail à **moins que** vous ne m'y (aider). 7. - **Quel dommage que** vous ne (pouvoir) pas venir. 8. - Je sortirai, qu'il (venir) **ou non**. 9. - Il n'est jamaïs ivre **quoiqu'il** (boire) beaucoup. 10. - Il faut soigner les arbres **pour qu**'ils (verdir) et (fleurir).

Exercice F: Mettez les pronoms **qui**, **que**, **dont**, après un nom, un pronom.

Dans les autres cas, mettez **ce qui**, **ce que**, **ce dont**.

Démocratie

1. - J'aime beaucoup la robe .... vous portez. 2. - Je ne connais pas les personnes .... sont invitées. 3. - Tout .... vous dites m'étonne. 4. - Comment trouvez-vous le film .... nous venons de voir? 5. - Je ne sais pas .... vous voulez dire. 6. - Est-ce vous .... avez pris le disque .... était sur la table? 7. - Le livre .... je vous parle est écrit en français. 8. - Prenez tout .... vous voudrez. 9. - Savez-vous .... lui est arrivé? 10. - .... vous me dites est vrai. 11. - Parlez-nous de la maison .... vous avez achetée. 12. - Est-ce lui .... vous cherchez? 13. - Je vous remercie de tout .... vous avez fait pour moi. 14. - .... est fait est fait.

Exercice G: Traduisez ces phrases en anglais et de l'anglais en français (Emploi du pronom **en**).

1. - Ces gâteaux sont bons, prenez-**en**. 2. - Il fait beau, je vais **en** profiter pour aller me promener. 3. - Vous avez fait un beau voyage, parlez-**en**. 4. - Son travail est difficile à faire, mais il s'**en** tire très bien. 5. - Je suis en retard, je m'**en** excuse. 6. - Nous n'avons pas de vin, il faudra bien nous **en** passer. 7. - Il est tard, il faut que je m'**en** aille. 8. - Votre sœur

viendra-t-elle? — Je n'**en** sais rien. 9. - Allez voir cette pièce si le cœur vous **en** dit. 10. - Cet enfant est terrible, il m'**en** fait voir de toutes les couleurs. 11. - Son fils est malade, elle s'**en** fait. 12. - Il m'est impossible d'aller vous voir cette semaine, ne m'**en** veuillez pas. 13. - Je n'**en** reviens pas.

Exercice H: Mettez un des pronoms **le, la, les, lui, leur, en.**

1. - Je ...... ai apporté des fleurs. 2. - Il aime les pommes, il ...... mange souvent. 3. - Nous ne ...... avons pas vus. 4. - Sa robe est élégante, elle ...... va bien. 5. - C'est terrible, ne m'...... parlez pas. 6. - Elles sont chez elles, je viens de ...... téléphoner. 7. - Cette maison est belle, achetez-...... . 8. - J'ai vu votre mère, je ...... ai dit bonjour, je ...... ai parlé de vous. 9. - Faites-...... mes amitiés. 10. - Ils ont mangé toutes les pommes, il n'y ...... a plus une seule.

Exercice I: Remplacez « je » par « vous » et « vous » par « je ».

1. - **J'ai peur que** vous ne puissiez pas y travailler. 2. - **Je suis heureuse que** vous soyez guéri. 3. - **Je regrette que** vous partiez demain. 4. - **Je suis ravie** que vous veniez avec lui. 5. - **Je suis désolée que** vous ayez perdu votre sac. 6. - **Je suis contente que** vous sachiez la vérité.

Elle s'en va vers la mer...

GRAMMAR

ADVERBS

MANY ADVERBS (**But not all**) ARE FORMED BY ADDING MENT to the feminine of Adjectives

Ex: franchement, légèrement.

COMPARISON

COMPARATIVE of
- EQUALITY Ex: Il est **aussi** grand **que** moi.
- SUPERIORITY Ex: Il est **plus** grand **que** moi.
- INFERIORITY Ex: Il est **moins** grand **que** moi.

SUPERLATIVE of
- SUPERIORITY Ex: Il est **le plus** grand **de** nous tous.
- INFERIORITY Ex: Il est **le moins** grand **de** nous tous.

GENDER

MASCULINE

ENDINGS:

- AGE — Ex: Le voyage, le langage.
  Except: la page, la cage, la rage, la nage, la plage, l'image (in which AGE is not a suffix)
- T — Ex: Le concert, le quart ...
  Except: la nuit, la dent, la part, la mort, la forêt.
- SOUND O — Ex: Le bateau, le mot ...
  Except: La peau, l'eau.
- L — Ex: Le travail, le réveil ...
- IN — Ex: Le matin, le train ...
  Except: La main, la fin, la faim.
- ISME — Ex: Le mécanisme, le journalisme ...
- EUR — only for names of machines (le moteur), persons (le docteur) and: le bonheur, le malheur, le labeur, un honneur.

LEÇON 30

GROUPS OF WORDS OF THE SAME CATEGORY

Names of TREES and WINES — Ex: Le chêne, le champagne.

ADVERBS used as nouns — Ex: Le bien, le mal.

ADJECTIVES used as nouns — Ex: Le bas, le haut.

Names of COUNTRIES / FRUITS / FLOWERS — Not ending with E — Ex: Le Canada, Le raisin, Le lilas

Except: Le Mexique, le Cambodge,
Le chrysanthème, le narcisse.

FEMININE

ENDINGS:

- URE — Ex: La température, la sculpture.
  Except: **Le** murmure (and names of chemical products)

- ENCE, ANCE — Ex: L'intelligence, la distance.
  Except: Le silence.

- TION, SION — Ex: La production, la commission.

- Té — Ex: La beauté, la sincérité.
  Except: Le comité, le traité, le pâté, le côté, un été.

- ETTE — Ex: La jaquette
  Except: Le squelette

- ILLE — Ex: La famille, la feuille.
  Except: Le bacille, mille.

- EUR — Ex: La fleur, une erreur.
  Except: Le bonheur, le malheur, le labeur, un honneur. (and names of machines and persons)

GROUPS OF WORDS OF THE SAME CATEGORY

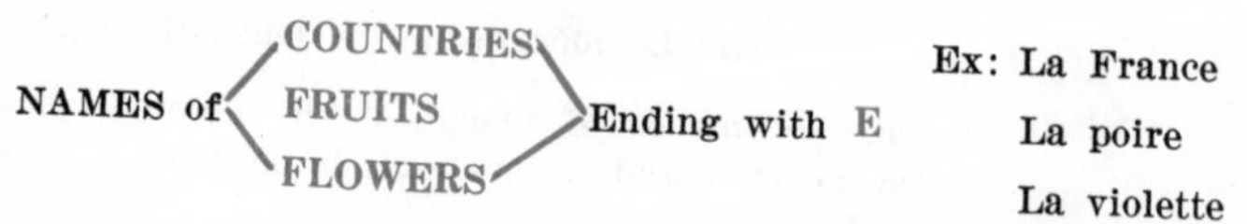

Ex: La France, La poire, La violette

Except: Except: Le Mexique, le Cambodge,
Le chrysanthème, le narcisse.

USE OF RELATIVE PRONOUNS

1) The following pronouns are used for the MASCULINE AS WELL AS FOR THE FEMININE, the SINGULAR or the PLURAL, for PERSONS or THINGS:

QUI = Subject

QUE = Direct object

DONT = Indirect object (whose, of which), used in place of a word preceded by "de".

2) **After a preposition use:** QUI for persons

QUOI for things

2) The following pronouns are used **only for things,** without an antecedent. They can be placed a) after a verb b) at the beginning of a sentence, or c) after TOUT, VOILÀ, VOICI — **not after a noun or a pronoun.**

CE QUI = Subject

CE QUE = Direct object

CE DONT = Indirect object, takes the place of a word preceded by « DE ».

4) **QUI**, when used without an antecedent (after a verb or starting a sentence) is subject or object; then it only refers to persons.

Examples:

1) La dame **qui** passe est élégante — Il aime les fleurs **qui** sentent bon.
Voilà la dame **que** vous attendez — Jetez les journaux **que** j'ai lus.
Voici la dame **dont** je vous parle — Voilà les livres **dont** j'ai besoin.

2) Comment s'appelle la personne **avec qui** vous parlez?
Il n'y a pas **de quoi** se vanter!

3) Voilà **ce qui** est arrivé — Lavez **ce qui** est sale.
Ce que j'ai acheté est bon — C'est **tout ce que** j'ai.
J'ai acheté tout **ce dont** j'ai besoin.

4) Invitez **qui** vous voudrez — **Qui** dort dîne.

LEÇON 30

INTERROGATIVE PRONOUNS

FOR PERSONS ONLY

QUI — Subject or object (used also after a preposition)

QUI EST-CE QUI — Subject

QUI EST-CE QUE — Dir. Object

FOR THINGS ONLY

QU'EST-CE QUI — Subject

QUE / QU'EST-CE QUE — Direct object

QUOI — (used after a preposition or without a verb)

FOR PERSONS AND THINGS

Masculine: LEQUEL LESQUELS Feminine: LAQUELLE LESQUELLES

For a choice when using the same denomination.

Examples:

PERSONS
- **Qui** parle? = **Qui** est-ce **qui** parle? (Subject)
- **Qui** invitez-vous? = **Qui** est-ce **que** vous invitez? (Dir. obj.)
- **Avec qui** parlez-vous? = **Chez qui** allez-vous? (after prep.)

THINGS
- **Qu'**est-ce **qui** est sur la table? (Subject)
- **Que** voulez-vous? = **Qu'**est-ce **que** vous voulez? (direct obj.)
- **à quoi** pensez-vous? **de quoi** parlez-vous? (after preposit.)
- **Quoi** de neuf? (without verb)

USE OF PERSONAL PRONOUNS

— With VOILÀ or VOICI, use the direct object: **Le**, **La**, **Les**.

— **The objective pronoun precedes the verb** to which it refers.
When 2 verbs are used in succession, the objective pronoun is placed between them, except for "Faire faire".
Ex: Il veut **la** voir — Il le fait faire.

1) **Order of 2 objective pronouns placed BEFORE THE VERB:**

a) 1st or 2nd before 3rd: me le, te le, nous la, vous les.

b) If 2 third persons are used, place direct before indirect object: ex: le lui, la leur. (except for « se »: Ils se le disent)

1	2	3	4	5
me	le	lui	y	en
te	la	leur		
se	les			
nous				
vous				

2) **Order of objective pronouns placed AFTER THE VERB:**

Always place direct before indirect object:

Ex: Donnez-le-lui, donnez-le-moi.

POSSESSIVE PRONOUNS

	SINGULAR		PLURAL	
	Masculine	**Feminine**	**Masculine**	**Feminine**
(à moi)	Le mien	La mienne	Les miens	Les miennes
:oi)	Le tien	La tienne	Les tiens	Les tiennes
(à lui, à elle)	Le sien	La sienne	Les siens	Les siennes
(à nous)	Le nôtre	La nôtre	Les nôtres	
(à vous)	Le vôtre	La vôtre	Les vôtres	
(à eux, à elles)	Le leur	La leur	Les leurs	

Example: Je pense à mon fils, pas **au vôtre** (à + le = au)

NOTE: After verb ÊTRE, use "à moi", "à lui", etc. instead of the above pronouns Ex: Cette maison est à moi.

LEÇON 30

IRREGULAR VERBS

VENIR **TENIR**

VENIR is conjugated like TENIR as well as all verbs ending with venir and tenir (CONTENIR, SURVENIR, etc...) but use:

ÊTRE with the group "Venir" AVOIR with the group "Tenir"

Présent

Je viens	Je tiens
Tu viens	Tu tiens
Il vient	Il tient
Nous venons	Nous tenons
Vous venez	Vous tenez
Ils **viennent**	Ils tiennent

Passé Simple

Je vins	Je tins
Nous vînmes	Nous tînmes

Passé Composé

Je **suis** venu	**J'ai** tenu

Futur

Je viendrai	Je tiendrai

Subjonctif

Que je vienne	Que je tienne
Que nous venions	Que nous tenions

NOTE: Use VENIR DE before an INFINITIVE for the immediate Past
Ex: Je viens de lire ce livre.

PEINDRE VERBS ENDING WITH -INDRE (peindre, joindre)

Présent	**Passé Composé**	**Imparfait**	**Futur**
Je peins	J'ai peint	Je peignais	Je peindrai (reg.)
Nous peignons	Nous avons peint	Nous peignions	
Ils peignent	Ils ont peint	Ils peignaient	

Passé simple	**Subjonctif**	**Conditionnel**
Je peignis	Que je peigne	Je peindrais (reg.)

NOTE: ALL VERBS IN -INDRE ARE CONJUGATED IN THE SAME WAY; Only Futur and Conditionnel are regular.

VERBS ENDING WITH -CER (avancer, commencer)

Letter C is pronounced S before E & I, it is pronounced K before any other letter; therefore, in order to keep the sound S in all tenses and persons of the verb, **write a "cédille" under C (ç)** whenever it does not stand before E or I. Ex: Il **avançait.**

VERBS ENDING WITH -GER (manger, changer)

The letter G is pronounced J before E & I; in order to keep the sound J in all tenses and persons of the verb **add letter E before endings beginning with A or O.** Ex: Il mangeait.

VERBS ENDING WITH -YER (envoyer, essuyer)

The letter Y changes into I whenever it stands before a mute E.
Ex: Il envoie (Verbs in AYER may keep the Y).

VERBS ENDING WITH - IR 2nd GROUP

For this group of verbs ADD **I** or **ISS** before the endings in the following tenses: PRÉSENT, IMPARFAIT, IMPÉRATIF, SUBJONCTIF and PARTICIPE PRÉSENT.

Example: FINIR

Présent

Je finis
Tu finis
Il finit

Nous finissons
Vous finissez
Ils finissent

Impératif

Finis
Finissons
Finissez

Imparfait

Je finissais
....

Subjonctif

Que je finisse

Participe présent: Finissant.

Note: NO "ISS" in Passé simple, Passé composé, Futur and Conditionnel.
The main verbs in - IR **which do not require "ISS"** can be classified in 4 groups:

1) **Venir**, tenir . . .
2) **Ouvrir**, couvrir, offrir, souffrir, cueillir.
3) **Sortir**, partir, mentir, servir, dormir, sentir.
4) **Mourir**, courir.

PASSÉ SIMPLE

THIS TENSE IS NOT USED IN CONVERSATION. It is a historical past.

THREE DIFFERENT ENDINGS

Verbs in - ER	in - IR ⟷	in - RE	in - OIR
PARLER	FINIR	RENDRE	SAVOIR
Je parl ai	Je fin is	Je rend is	Je sus
Tu parl as	Tu fin is	Tu rend is	Tu sus
Il parl a	Il fin it	Il rend it	Il sut
Nous parl âmes	Nous fin îmes	Nous rend îmes	Nous sûmes
Vous parl âtes	Vous fin îtes	Vous rend îtes	Vous sûtes
Ils parl èrent	Ils fin irent	Ils rend irent	Ils surent

NOTE: Verbs ending with - RE and - OIR being very often irregular, this classification is only true for the majority of them. Note that the only difference between these 2 endings is the vowel I or U which remains unchanged at all persons. ÊTRE & AVOIR have endings in U.

VENIR & TENIR and derivated verbs have a special ending.

ÊTRE	AVOIR	VENIR	TENIR
Je fus	J'eus	Je vins	Je tins
Tu fus	Tu eus	Tu vins	Tu tins
Il fut	Il eut	Il vint	Il tint
Nous fûmes	Nous eûmes	Nous vînmes	Nous tînmes
Vous fûtes	Vous eûtes	Vous vîntes	Vous tîntes
Ils furent	Ils eurent	Ils vinrent	Ils tinrent

PARTICIPE PRÉSENT

ENDING: - ANT FOR ALL VERBS

STEM: SAME AS THE IMPARFAIT
Except AVOIR (ayant) SAVOIR (sachant)

NOTE: "EN" is the only preposition after which this tense can be used; after any other preposition, use the infinitive.
Ex: I am tired **of walking** = Je suis fatigué **de marcher**.

CONJUGAISON — SUBJONCTIF PRESENT

1) Mêmes **TERMINAISONS** pour tous les verbes (excepté "être" et "avoir")

-e	-ions
-es	-iez
-e	-ent

Terminaisons irrégulières:

ETRE			AVOIR	
Que je sois	Que nous soyons	:	Que j'aie	Que nous ayons
Que tu sois	Que vous soyez	:	Que tu aies	Que vous ayez
Qu'il soit	Qu'ils soient	:	Qu'il ait	Qu'ils aient

2) **Le RADICAL est basé sur l'indicatif comme suit:**

Indicatif		**Subjonctif présent**
présent:	Qu'ils **vienn**ent —	Que je **vienne**
		Que tu **viennes**
		Qu'il **vienne**
		Qu'ils **vienn**ent
Imparfait:	Nous **ven**ions —	Que nous **ven**ions
	Vous **ven**iez —	Que vous **ven**iez

NOTE: Au singulier et à la 3me pers. plur., la prononciation ne change pas; il en est de même à l'imparfait et au conditionnel, sans exceptions; comparez:

Imparfait	**Cond. prés.**	**Subj. prés.**
Je buvais	Je boirais	Que je boive
Tu buvais	Tu boirais	Que tu boives
Il buvait	Il boirait	Qu'il boive
Ils buvaient	Ils boiraient	Qu'ils boivent

Exceptions: Au subjonctif, 5 verbes ne forment pas leur radical sur l'indicatif, dont 3 conservent le même radical à toutes les personnes:

Faire: Que je **fasse**, que nous **fassions**
Pouvoir: Que je **puisse**, que nous **puissions**
Savoir: Que je **sache**, que nous **sachions**

2 verbes se disent comme à l'imparfait à nous et vous, mais diffèrent aux autres personnes:

Aller: Que j'aille, que nous allions
Vouloir: Que je veuille, que nous voulions.

VERBES IMPERSONNELS: **Pleuvoir:** Qu'il pleuve
Falloir: Qu'il faille

LEÇON 30

HOW TO USE THIS TENSE:

1) **After impersonal verbs**

Il faut que...
Il arrive que...
Il est impossible que...
Il est l'heure que...
Il est dommage que...

2) **After expression of feelings**

Je suis heureux que...
J'ai peur que...
Je suis ravi que...
Je suis désolé que...
Je suis content que...

3) **After the following conjunctions**

Pourvu que...
Bien que...
Quoique...
Afin que...
A moins que...

4) **After certain verbs.**

Vouloir
Regretter

5) **For alternatives**

Ex: **Que** vous **veniez** ou non, je resterai chez moi jusqu'à 6 h.

CONDITIONNEL

STEM OF FUTURE + ENDINGS OF IMPARFAIT

ALLER		SAVOIR	
Futur	**Conditionnel**	**Futur**	**Conditionnel**
J'**irai**	J'**irais**	Je **saurai**	Je **saurais**
Tu **iras**	Tu **irais**	Tu **sauras**	Tu **saurais**
Il **ira**	Il **irait**	Il **saura**	Il **saurait**
Nous **irons**	Nous **irions**	Nous **saurons**	Nous **saurions**
Vous **irez**	Vous **iriez**	Vous **saurez**	Vous **sauriez**
Ils **iront**	Ils **iraient**	Ils **sauront**	Ils **sauraient**

NOTE: When the main clause is in the **Conditionnel**, the **if clause** is in the **Imparfait.**
Ex: Vous manger**iez** si vous av**iez** faim.

ÊTRE AS AN AUXILIARY

1) The "VERBES PRONOMINAUX" (verbs used with 2 pronouns of the same person) ARE ALWAYS CONJUGATED WITH "ÊTRE".

2) The following verbs are used with "ÊTRE" in their **INTRANSITIVE** form only:

Arriver	— Partir	Monter	— Descendre
Entrer	— Sortir	Mourir	— Naître
Tomber	— Rester	Aller	— Venir
Retourner			& verbs ending with Venir.

NOTE: The underlined verbs can also be used **transitively**, in which case the auxiliary is **avoir**.
Ex: Il a sorti son mouchoir de sa poche.

RULE ON THE AGREEMENT OF PAST PARTICIPLES

1) The past participle agrees with the subject when it is used with "être"
Ex: Ils sont partis, elles sont arriv**ées**

2) When it is used with "avoir", it agrees with the direct object but **only** if it is placed before the verb.

Ex: Nous avons acheté des fleurs;
Nous **les** avons achet**ées** au marché.

REMARK ON SOME FORMS OF VERBS

The meaning of verbs might change when used in a different form.

- Transitif: Elle **a** retourné la crêpe (She flipped the pancake)
- Intransitif: Elle **est** retourn**ée** à Paris (She returned to PARIS)

- Actif: Il fait son devoir (He does his duty)
- Pronominal: Il **se** fait vieux (He is getting old)
- Impersonnel: Il fait chaud (It is warm).

TABLE DES MATIERES

INDEX ALPHABETIQUE

TRADUCTIONS

First lesson

I DO NOT LIVE IN PARIS

1. - Paris is the capital of France.
2. - Washington is the capital of the United States.
3. - Bordeaux is not the capital of France.
4. - Orleans is not the capital of France.
5. - Marseilles is not either.
6. - What is the capital of France?
7. - The capital of France is Paris.
8. - Montreal is not the capital of Canada.
9. - Quebec is not the capital of Canada.
0. - What is the capital of Canada?
1. - Ottawa is the capital of Canada.
2. - Chicago is not the capital of the United States.
3. - New York is not the capital of the United States.
4. - Boston is not either.
5. - What is the capital of the United States?
6. - Washington is the capital of the United States.
7. - I live in New York.
8. - I do not live in Paris.
9. - What is your address?
0. - My address is: 16, Place de la République.
1. - I wish to visit Paris.
2. - I also wish to visit Quebec.
3. - I do not wish to visit Ottawa.
4. - I like to dine in a French restaurant.
5. - I do not like to dine at home.
6. - I like American restaurants, but I prefer French restaurants.
7. - I repeat the lesson.
8. - Good-bye, Madam. Good-bye, Sir.

Second lesson

DO YOU LIKE TO TRAVEL?

1. - In Paris, there are many restaurants.
2. - There are also many theaters and cinemas.
3. - There are many department stores: le Bon Marché, le Printemps, les Galeries Lafayette.

4. - In department stores, there are dresses, tables, bicycles, books.
5. - I like the department stores in Paris and New York. And you, d
you like department stores?
6. - Yes, I like department stores, but I prefer the beautiful museum
of Paris.
7. - I also like museums. I also like the theater, television, music, et
8. - Do you also like to travel?
9. - Of course, I like to travel very much.
10. - Do you prefer to travel by plane, by train or by car?
11. - A plane is rapid, but dangerous. I prefer a train or a ship.
12. - On board ships, there are books; I like reading. There is a cinem
and I like the movies. There is also a band, but I do not like jaz
music.
13. - Neither do I, but I like the cuisine and the wine that they serv
on French ships.
14. - I like the tea that they serve on English ships and the excellen
coffee that they serve on American ships.
15. - So do I. Do you travel a lot by ship?
16. - No, I travel by plane because it is faster.
17. - A plane is not more expensive.
18. - A train is not expensive and it is faster than a bus.
19. - Yes, but there is no train from New York to Paris.
20. - This is why I like to travel by ship.

Third lesson

WE ARE GOING TO FRANCE ON A VACATION

1. - We are going to spend our vacation in France. And you?
2. - We are not going to France. We are going to spend our vacatio
in Canada.
3. - Are you going to Canada by plane or by train?
4. - We do not know yet, maybe by plane. And you?
5. - We are going to France by boat; it lasts longer but it is also mor
pleasant and more amusing; we travel only by boat.
6. - How much is the trip by boat?
7. - I do not know, but I know that a plane is not more expensive.
8. - Which boat do you take?
9. - We take a French boat.
10. - Why do you take a French boat?
11. - Because we like only French cooking and because we speak Frenc
with the waiters.

12. - We are going to France to spend our vacation, but also to learn French in a pleasant manner.
13. - Are you also going to visit museums and other monuments?
14. - Of course, we are going to visit many monuments.
15. - But there are many tourists in the museums.
16. - In autumn there are not many tourists.
17. - We like autumn very much.
18. - Why do you like autumn?
19. - Because in autumn there are many fruits, flowers, etc.
20. - What fruits are there in autumn?
21. - In autumn, there are grapes, plums, pears, nuts.
22. - What fruits do you like?
23. - I like only oranges and pears, I do not like the other fruits.
24. - I like the beautiful red and yellow colors of the trees in Autumn.
25. - Autumn is a very lovely season.

Fourth lesson

DO YOU KNOW HOW MANY... (OR HOW MUCH)...

1. - My apartment is in New York; I live in New York.
2. - Our apartment is not in Paris. We do not live in Paris.
3. - We prefer to live in New York. And you, what do you prefer?
4. - I prefer to live in a large city.
5. - Why do you prefer to live in a large city?
6. - Because in a large city there are many theaters, good restaurants, lovely movies, etc...
7. - But there are also many inhabitants and many cars in a large city.
8. - How many inhabitants are there in Paris?
9. - In Paris there are four million inhabitants.
10. - New York is a larger city than Paris.
11. - How many inhabitants are there in New York?
12. - In New York there are nine million inhabitants.
13. - How many inhabitants are there in Marseilles?
14. - One million? One million and a half? I do not know exactly.
15. - And you, do you know?
16. - No, I do not know either.

18. - In my apartment there are eight rooms. It is a large apartment.
19. - I have a small apartment, it has only two rooms.
20. - When we travel, we live at the hotel.
21. - How much does a hotel room cost in New York?

22. - In New York, a hotel room costs from seven to twenty dollars.
23. - In Paris a hotel room only costs about 50 francs. It is less expensive
24. - Do you know how to count in French? Yes, I know.
25. - How many cities are there in France? Do you know?
26. - No, I do not know.
27. - Do you know how many cities there are in the U.S.A.?
28. - No, I do not know, and you?
29. - I do not know either.

Fifth lesson

WE ARE GOING TO THE RESTAURANT

1. - We are hungry, we are going to the restaurant for lunch.
2. - My father asks for a table for 4 people.
3. - The waiter gives us a table near the window.
4. - He brings the menu.
5. - My father orders a good lunch for us:
6. - Pork chops with mashed potatoes for my sister;
7. - A steak with French fries for my brother.
8. - I prefer a lamb chop with beans.
9. - Of course, the waiter brings us hors d'œuvres to start with: radishes sardines, salami, cole slaw, etc.
10. - In France, at noon, you always eat hors d'œuvres.
11. - My brother also asks for a first course because he is very hungry.
12. - He likes chicken patties very much; he orders one as a first course
13. - The waiter pours a good red wine into our glasses.
14. - We eat fruit for dessert.
15. - It is the season for strawberries; my father and myself ask for strawberries with cream.
16. - My brother and my sister have strawberries with wine. It is very good.
17. - When we are through, my father asks for the check.
18. - He pays and leaves a 10% tip for the waiter.
19. - In France you also generally give a tip to the usherettes in theaters and movies.
20. - In France you often eat soup for dinner.
21. - You always drink wine with dinner and lunch.
    - You eat soup with a soup spoon.
    - There are also tea-spoons (or coffee-spoons). Tea-spoons are small. Soup-spoons are large.
    - With what do you cut bread?
    - You cut bread with a knife.

Sixth lesson

NEVER ON SUNDAY

1. - At what time do you get up?
2. - I get up at seven thirty.
3. - At what time do you have breakfast?
4. - I have breakfast at ten to eight.
5. - At what time do you take the train (or the subway)?
6. - I take the subway at a quarter after eight.
7. - At what time do you arrive at the office?
8. - I arrive at the office at five to nine.
9. - During the week, I get up early to go to work.
10. - On which days do you work?
11. - I work on Monday, Tuesday, Wednesday, Thursday and Friday.
12. - I never work on Saturday or Sunday.
13. - How many hours do you work a day?
14. - I work eight hours a day.
15. - At what time do Bernard and Paul get up?
16. - They get up at seven thirty like myself but they do not take the train until eight thirty and do not arrive at the office before nine o'clock.
17. - They work until 5:30.
18. - At what time do Alice ond Suzanne get up?
19. - They do not get up until 8:30.
20. - They get up late! Why do they get up late?
21. - Because they do not work yet, they are too young.
22. - They never go to the office; they are lucky.
23. - But they go to school in Autumn, in Winter and in Spring.
24. - What day is it today?
25. - Today is Tuesday.
26. - What is the date? Do you know?
27. - It is July 1st.
28. - What is your birthday?
29. - I was born March 5th. My birthday is on March 5th.

Seventh lesson

HOW MUCH DOES THIS ROOM COST?

1. - I arrive in Paris. I see the Eiffel Tower and Montmartre.
2. - The train comes into the station; I call a porter.
3. - I tell him: "Porter, take this baggage, if you please."

4. - I have 3 suitcases and one bag.
5. - The porter takes my baggage and calls a taxi for me.
6. - I pay the porter and I give my address to the taxi driver.
7. - The driver takes me to my hotel, rue des Saints-Pères.
8. - "I would like to have a room with bath for one person."
9. - "We have one which is very beautiful on the first floor."
10. - "How much does this room cost?" — "Forty francs (40), Sir."
11. - It is rather expensive. Do you have one less expensive? (cheaper
12. - "Of course, Sir. We have one on the third floor which costs 35 fran and another one without bath on the fourth floor which costs on 25 francs."
13. - Give me the room for 35 francs. I prefer to have my own bathroo
14. - "Very well, Sir. Bellboy! Take the gentleman to room 38."
15. - "Here is the key, Sir." "Thanks."
16. - The bellboy takes my baggage.
17. - We take the elevator to the third floor.
18. - I am satisfied with my room.
19. - It is very clean but not very large.
20. - It is very comfortable.
21. - I give a tip to the bellboy who brought my suitcases.
22. - There is no television set in my room but there is one in the hot lounge.
23. - I do not want to watch television.
24. - I prefer to go out to see Paris; its cafés, its boulevards, its stores, et

Eighth lesson

DO NOT ASK SO MANY QUESTIONS

1. - Catherine lives with her parents in a lovely six-room apartment 11, rue de la Pompe.
2. - She is learning English.
3. - Today her English teacher asked her:
4. - "How old are you?" — Catherine answered: "I am 20."
5. - "Do you have brothers and sisters?" — "I have one brother and one sister."
6. - "What is your brother's name?" — "His name is John-Louis."
7. - "How old is he?" — "He is 20 like myself. He is my twin."
8. - "What is your sister's name?" — "Her name is Laurence."
9. - "What are your father's and mother's names?"
10. - "My father's name is René and my mother's name is Marcelle."
11. - "Does your father make a lot of money?"
12. - Catherine thinks that this question is very personal.

13. - She answers: "I do not know."
14. - "Does your mother make money?"
15. - No, but she works a lot at home."
16. - "Do you have a car?" — "Yes, we have one."
17. - "Do you take tennis lessons?" — "Yes, I do."
18. - "Do you also learn how to drive?" — "Yes, of course, I learn how to drive."
19. - "Does your sister know how to drive?" — "No, not yet."

21. - "On what floor do you live?" — "I live on the fourth floor."
22. - "Is there an elevator in your house?" — "Yes, there is one."
23. - "Were you born in Paris?" — "Yes, I was born in Paris."
24. - "Is your sister a blonde?" — "No, she is not a blonde."
25. - "She is a brunette but my brother is a blond like myself."
26. - "Excuse me for asking you so many personal questions," the teacher says.
27. - "It is not curiosity on my part, but it is in order to make you speak and to teach you how to express yourself."

Ninth lesson

I OFTEN GET LOST

1. - I am in Paris and I do not know where the Opera is.
2. - I ask a gentleman in the street:
3. - "Excuse me, Sir, could you tell me where the Avenue de l'Opéra is?"
4. - "Why certainly. It is the second to your left."
5. - I do not have any more francs. I go to the bank which is near the Avenue de l'Opéra to change my dollars."
6. - At the bank, they give me several one hundred-franc notes.
7. - I do not have any more change. I ask:
8. - "Could you give me change for one hundred francs?"
9. - "With pleasure, Madam. Do you want 50, 10 or 5-franc notes?"
10. - "Please give me nine 10-franc notes and two 5-franc notes."
11. - "Thank you very much."
12. - I am in front of the Opera.
13. - On my left, there is the Rue de la Paix.
14. - On my right, there is the Boulevard des Italiens.
15. - I do not know where the store called Galeries Lafayette is.
16. - I ask a young lady:
17. - "Excuse me, Miss, could you tell me where Galeries Lafayette is?"
18. - "Straight ahead, Madam, in front of you."
19. - "And do you know where Saint-Lazare station is?"

20. - "Straight ahead and to your left."
21. - But I make a mistake; I go to the right instead of going to the left and I find myself in front of a church.
22. - I am lost. I cannot find Saint-Lazare station.
23. - I often get lost in Paris because the streets go in all directions. It is very difficult.
24. - It is much easier in New York because the streets are numbered and run parallel.

Tenth lesson

YESTERDAY WE DID A LOT OF THINGS

1. - Yesterday we worked all morning.
2. - In the afternoon we visited the Louvre museum which is very beautiful and very large.
3. - We saw many beautiful paintings, sculptures, furniture, etc.
4. - Of course it is impossible to see everything in one afternoon.
5. - We intend to go back some evening to admire the magnificent inside lighting.
6. - At four thirty we went to buy ties in a charming little store on the Avenue de l'Opéra.
7. - Then we telephoned Carolyn.
8. - We invited her to dinner together with her sister.
9. - We ate at la Tour d'Argent (Silver Tower) which is a magnificent restaurant.
10. - The Maitre D. placed us near the window.
11. - He gave us a table for 4 persons.
12. - We ordered a good meal.
13. - The waiter brought us hors d'œuvres, a ham omelet, duck à l'orange, salad, cheese and fruits.
14. - The waiter poured an excellent white wine into our glasses to accompany the hors d'œuvres and gave us Bordeaux with the duck.
15. - We admired the lovely view that one has of Paris from this beautiful restaurant.
16. - We paid the check to the waiter and we gave him a 15% tip.
17. - Then we called a taxi.
18. - We took our friends to a discotheque.
19. - We danced there until midnight.
20. - Then we saw Carolyn and her sister home.

Eleventh lesson

WOULD YOU LIKE TO HAVE A DRINK?

1. - This is an excellent Cognac; do you want some?
2. - With pleasure. Give me a little, if you please.
3. - And you, Henry, would you like to taste it?
4. - I also would like some of it.
5. - Nobody is going to refuse a little Cognac.
6. - I prefer Cognac to an aperitif. I do not like vermouth.
7. - I do not either. Nobody prefers vermouth to Cognac.
8. - You do not either, isn't true, Henry?
9. - It is true. But everybody does not have the same taste.
10. - For example, my brother and my sister-in-law only like Calvados.
11. - She does not like Cognac, and he does not either.
12. - Whose glass is this, which is half-empty? Is it yours?
13. - No, it is not mine, it is his, I think.
14. - No, it is not his, it is hers.
15. - Who wants to have a second drink with me?
16. - Everybody is willing, is it not so? I am, he is, she is, you are, we all are, of course; we are thirsty.
17. - Be careful, do not take this glass; it is mine; nor these cookies, they are theirs.
18. - There are some in this blue plate; take some, they are very good.
19. - Now let us go to my house, there is enough to eat and drink and besides, I have lovely records.
20. - No, Henry has a larger apartment; let us go to his house.

Twelfth lesson

BREAKFAST TIME

1. - It is a quarter to eight. Francis and Martine are getting dressed to go to the office.
2. - Martine puts on her navy blue pants and her red sweater.
3. - Francis puts on his brown suit and his yellow tie.
4. - They go to the kitchen in order to prepare their breakfast.
5. - They put on the table their cups, their plates, their spoons and their knives.
6. - They bring coffee, milk, sugar, bread and butter.
7. - Our breakfast is ready, says Martine. Let us sit.
8. - They drink their coffee hot. Martine eats an egg sunny side up.
9. - Francis, who has a good appetite, takes two scrambled eggs.

10. - Sometimes they have croissants (rolls) for breakfast.
11. - They also sometimes put currant preserves or honey on their slices of bread.
12. - My napkin is dirty, says Francis. Give me a clean napkin, if you please, Martine.
13. - Take a paper napkin, says Martine, and hurry, we are going to be late.
14. - This knife cuts well, says Francis; I cut my finger while cutting my bread.
15. - You are clumsy! You mistook your hand for your bread?
16. - Francis looks at his watch. It is 8:30.
17. - It is late. Let us go, we do not want to be late.
18. - It is cold; Martine puts on her winter coat, her lined boots and her gloves.
19. - Let us also take our woolen scarves, says Francis.
20. - They run out of the house to catch their bus.
21. - They will arrive on time at their office.

Thirteenth lesson

A DAY IN THE OFFICE

1. - Alice got up very early this morning.
2. - She went out at eight thirty and arrived at the office at 9 o'clock.
3. - The telephone operator said "good morning" to her and the mailman brought her the mail.
4. - When the director arrived, Alice brought him his mail already opened.
5. - He dictated the answers to her and told her about the customers whom he expects during the day.
6. - Yesterday, Alice stayed for two hours in the boss' office because there was a lot of mail.
7. - She did not leave the office until 6 o'clock (instead of 5).
8. - She did not go to her dancing-class because she no longer had the time.
9. - Neither did she have time to give her fiancé a call! What a pity!
10. - She likes to telephone him because she always has a lot of things to tell him and to ask him.
11. - The day before yesterday, June 16th, he gave her a ring and a bottle of perfume for her birthday.
12. - Her sister gave her a pair of gloves and her brother-in-law brought her flowers. In the evening, they took her to the theater.
13. - Her father sent her a gold watch which will be very useful to her.

14. - Even her boss was generous; he wrote out a check for her and gave her the afternoon off.
15. - Her office colleagues bought her a cake and a bottle of wine.
16. - All these gifts pleased her very much and she thanked everybody.
17. - But soon she will no longer go to the office; when she has her degree, she will be a teacher.

Fourteenth lesson

DO NOT ARRIVE LATE!

1. - Miss, the head of the department says, it is ten after nine; the store opens at nine sharp; you are late.
2. - Excuse me, Madam.
3. - Is your watch slow?
4. - No Madam, it is correct.
5. - Then you probably get up too late. At what time do you get up?
6. - I get up at a quarter to eight.
7. - What do you do between a quarter to eight and nine o'clock?
8. - Well, I wash rapidly.
9. - Rapidly?
10. - Yes, I take a bath or a shower, if I have time, or I only wash my face and hands. I brush my teeth, I comb my hair and I put on some make-up very quickly.
11. - Then I dress; I put on my shoes. Then I have breakfast and I run out of the house.
12. - Why do you run?
13. - Because generally, it is already a quarter to nine and I am late.
14. - In that case, why don't you awake earlier?
15. - I am too tired to awake at seven thirty.
16. - Maybe you go to bed too late? At what time do you go to bed?
17. - I go to bed at a quarter past eleven. But I rest between 7 and 8 o'clock after my dinner.
18. - Well, set your watch ahead and do everything in your power to arrive on time from now on.
19. - I will try to arrive on time, I promise. I will wind my watch immediately and set it ahead.

Fifteenth lesson

THE SUBWAY AT RUSH HOURS

1. - To-morrow I will take the subway to go to the office.
2. - There will be a lot of people and it will be very unpleasant.
3. - First of all, I will stand in line at the ticket-office in order to buy my ticket and of course, I will miss the train.
4. - I will be pushed, my feet will be stepped on and nobody will apologize; everybody is in too much of a hurry!
5. - We will jostle (to have the pleasure) to come into an already full car.
6. - At least, if I am not seated, I will not fall asleep as I did yesterday.
7. - I will get off at my station and will not arrive late.
8. - I will have fun reading my neighbour's paper and I will watch the people around me, which will make the time pass.
9. - I will study the advertisements for "Lustucru noodles," "The smiling cow" or "Knorr soups", which is another amusement of the subway;
10. - I will tell myself: "I will buy some." Perhaps you will buy some too.
11. - Sometimes, there is a very elegant and pretty young girl seated next to me.
12. - Then I think: "Shall I invite her to dinner?" — Of course not, she will certainly refuse; she does not know me."
13. - "Well! Too bad! I will dine by myself, as I always do."
14. - "Excuse me, Sir, are you getting off at the next stop?"

Sixteenth lesson

YESTERDAY, I SPENT A NICE EVENING

1. - I had a lot of fun at my friends the Morels' last night.
2. - I was surprised not to see you there.
3. - There were a lot of foreigners and I became very interested in what they were saying.
4. - Little by little, I got used to their accent, which I tried to understand.
5. - First of all, I wondered what their nationality was.
6. - But I soon realized by their way of pronouncing "r" that many of them were Americans.
7. - They spoke about their life in the United States, which was very interesting.

8. - They told us about their adventures in Italy, Switzerland, Germany and Denmark.
9. - I soon became aware that they already had had a few drinks and that they were in excellent spirits.
10. - The conversation was all the more lively.
11. - I approached two young men who were discussing politics and we spoke for a moment.
12. - We understood one another and got along very well.
13. - As I was preparing to take leave of them, they invited me to finish the evening in a new night-club.
14. - But I was too tired; I made excuses and I left.
15. - I came back home around 11:30, very satisfied with the evening.
16. - I seated myself comfortably in an arm-chair and I turned on the radio to hear the news.
17. - Then I read the movie magazine to which I had subscribed last month.
18. - It was rather late when I washed and went to bed.
19. - Then I fell asleep as soon as my head touched the pillow and this morning I awoke in very good spirits.
20. - And you, what did you do last night?

Seventeenth lesson

LET US GO FOR A DRIVE

1. - Come, Jane, the weather is lovely; let us go for a drive.
2. - Take your coat; in April it may still be rather cold in the country.
3. - Hurry! Let us take advantage of this beautiful spring sun.
4. - Later on, the roads may be congested.
5. - All right, let us leave immediately; I am ready.
6. - Do not forget to lock the door.
7. - Let us use the stairway; it is not worth while waiting for the elevator. We can walk down one floor.
8. - Where did you park the car?
9. - Rather far. Wait for me here if you wish.
10. - Well! Go and be quick; I am not too patient.
11. - Ten minutes later, his car was in front of the house and he was blowing the horn to call her.
12. - "Get in and lock the door."
13. - "Be careful when driving; avoid accidents and do not get a ticket."
14. - "Do not be afraid; I am very careful; I have good brakes and excellent tires."

15. - "But you do not have enough gasoline; stop to get some if you do not want to run out of gas in the country."
16. - "You are right. Here is a gas-station; let us go there."
17. - "Fill it up and wipe off the wind-shield, il you please."
18. - Please, pay for me, I left my wallet in the pocket of my jacket on the rear seat."
19. - "Now we are free! We will drive without a hitch; there are not too many cars on the road."

Eighteenth lesson

WHEN WE WERE IN PARIS

1. - When my brother and I arrived in Paris the weather was very hot.
2. - We had never seen the Opera or the Champs-Élysées.
3. - We stayed in a very expensive hotel.
4. - We could not speak French and we visited the city at random.
5. - We had lunch in a restaurant on the boulevards.
6. - We had a good meal and drank red wine.
7. - We gave generous tips to the waiter who served us.
8. - We liked to sit at sidewalk cafés.
9. - We watched at the Parisian ladies pass by while we were having an aperitif.
10. - We bought souvenirs and post-cards to send our families.
11. - We happened to get lost.
12. - Then we asked our way from a person in the street.
13. - It was very amusing because those poor Frenchmen and Frenchwomen had a lot of trouble understanding us.
14. - Well, we wasted our time in the most agreeable manner in the world.
15. - We spent a lot of money because everything is very expensive in Paris.
16. - But, in spite of everything, we regretted very much having to leave France, but it was necessary.
17. - On the ship going to the United States, we liked remembering our travel memories:
18. - "Do you remember that little restaurant on the Left Bank where you could eat such good snails?"
19. - "And that little café, Boulevard des Italiens, where you could drink such delicious cider!"
20. - "And that little store, rue des Petites Écuries, where there were such lovely things for a song!"
21. - "Come, come! Take it easy! You will see Fifth Avenue and the skyscrapers again."
22. - "Yes, and also all the charming little French restaurants in New York where we will go and eat snails while we speak about Paris."

A DESULTORY CONVERSATION

(between two friends at a sidewalk café)

1. - Have you read the papers today?
2. - No, I have not read them yet; why?
3. - You have not heard the news? Taxes will go up again. Did you fill out your income tax return this year?
4. - No, I have not yet filled it out, but I know that I must send it to the Tax Bureau before the end of this month, which is the dead-line. I will take care of it Sunday if it rains.
5. - I hope that it will not rain since my wife and I must go to visit Philip's parents; we promised to go and pay them a visit.
6. - Come to think of old Philip, I happened to meet him yesterday on the Boulevard St. Germain.
7. - He wanted to borrow 100 francs from me; I did not give them to him, as you may think. Anyhow, I did not have this amount in my pocket and I told him so.
8. - He certainly did not believe you and he will borrow the money from somebody else.
9. - By the way, do you know that Marianne is in Paris with her family?
10. - Yes, I telephoned her this morning to invite her and her husband.
11. - We will be very glad to entertain them too.
12. - My wife is a very good cook; she will prepare a good meal for them.
13. - I asked them to bring their children; we like them very much. Do you know them?
14. - No, I do not know them yet. They are certainly charming if they resemble their parents. How old are they?

16. - Your children can keep them company and show them around the city.
17. - Do you know which horse was the winner at the races at Auteuil today?
18. - No, but it will soon be announced. May I offer you a drink?
19. - Of course, with pleasure.

Twentieth lesson

WOULD YOU LIKE TO TAKE A TRIP NEXT SUNDAY?

1. - The first Sunday of next month, we will go to Versailles if it does not rain.
2. - Why not next Sunday?
3. - Because we want to see the big fountains. Will you go with us to Versailles?
4. - No, I cannot go there with you, it is a pity.
5. - I intend to go there on the first Sunday of the following month.
6. - And what do you intend to do next Sunday?
7. - I will take the train to Orleans where they are celebrating the fête de Jeanne d'Arc which is very beautiful, so they say.
8. - Why don't you come with me? You can see the big fountains next month as I will.
9. - You are right. It is a good idea. I accept.
10. - I will talk it over with my wife and will try to convince her to join us.
11. - She likes history and a parade of an epoch far removed from ours will certainly be of interest to her.
12. - At what time will it be necessary to leave?
13. - There must be trains every hour to Orleans but it is better to check the railroad schedule. Do you have one?
14. - No, I do not, but I can telephone the station where they will give me information immediately.
15. - Of course, you are right. They will also tell us how much a first class round trip ticket is.
16. - For such a short trip, we can even travel second class, don't you think so?
17. - No, the difference in price is not important; it is not worth while.
18. - Well, it is agreed; we will therefore all go to Orleans.
19. - The following Sunday, we can visit one of the numerous castles in the suburbs of Paris which are very interesting to see.
20. - I would like to go to Saint-Denis to see the old church in which there are the tombs of the kings of France.
21. - Agreed. Let us go if you wish.

Twenty-first lesson

LET US GO TO THE "COMÉDIE FRANÇAISE"

1. - Today they play "The Miser" by Moliere at the Comédie Française.
2. - Mireille and her friend Yvonne, who like this comedy very much, insisted upon seeing it.
3. - They have had their tickets for more than a week.
4. - They have very good seats in the 8th row of the orchestra.
5. - Come and fetch me early, says Mireille to Yvonne, I do not want to arrive late.
6. - I will not fail to; you can rely upon me.
7. - Yvonne keeps her word and the theater is still almost empty when the usherette takes them to their seats.
8. - They give her a tip and start looking over the program they bought at the entrance.
9. - Look! says Yvonne, Jack is seated in front of us in the 6th row! He did not tell me that he would come.
10. - Be quiet! The curtain is rising; we will see him at the intermission.
11. - Jack, who saw them, comes and says "hello" to them.
12. - "Chocolate ice-cream, assorted candy, "berlingots", announces the usherette (salesgirl).
13. - Jack, who is very courteous, buys chocolate ice cream for Mireille and Yvonne.
14. - We could go out to smoke a cigarette and admire Voltaire in his arm-chair.
15. - I found the actors excellent, Jack says.
16. - Unfortunately, Harpagon's part was played by a substitute;
17. - but by a substitute whom I liked very much.
18. - All the actors were applauded with enthusiasm and the house was full.
19. - Mireille, who is interested in fashion, is looking at the dresses worn by the ladies.
20. - Yvonne is having fun trying to find people she knows.
21. - Who is the lady whom we have just met? It seems to me that I know her.
22. - I think she is Mrs. Dubois, Peter's mother-in-law.
23. - The dress she wears is very elegant; it is very becoming.
24. - It is true; and it must have cost a fortune.
25. - Let us hurry; it is the end of the intermission; we have to go back to our seats.

Twenty-second lesson

ONE MUST SUFFER TO LOOK BEAUTIFUL

1. - Jacqueline and Marie-Claire are at the hairdresser's.
2. - Henry, could you take us immediately; we would like to go shopping and, as you know, the stores close at 6 o'clock.
3. - All right! what shall I do for you?
4. - Would it be possible for you to give us a shampoo, a cut and a set; the whole thing in one hour?
5. - It is too short. You certainly would not like to leave with your hair still damp and rollers on your head.
6. - Stop joking. How much time would you need?
7. - I would probably need one hour and a half because I cannot shorten the drying time.
8. - Go ahead, Henry. We give you one hour and a half, but no more.
9. - Agreed. Let us not waste any time; first of all the shampoo.
10. - Would you like a lotion on your hair? No lotion. All right.
11. - Now let us start cutting. The usual or would you like to change your hairdo?
12. - No, Henry, not today; we would not have time to discuss it leisurely.
13. - You are hurting me. Do not pull my hair too much!
14. - Forgive me. Well, one has to suffer to look beautiful.
15. - Now go on to the dryer and read the papers while waiting.
16. - Then a quick brushing to finish.
17. - Could you tease my hair a little?
18. - Why, certainly. Well! I kept my word, didn't I? We finished on time.
19. - It is perfect, Henry. How much do I owe you for both of us?
20. - 100 francs, all included.
21. - It is not enough to suffer to look beautiful; one must also foot the bill.

Twenty-third lesson

ONCE UPON A TIME . . .
(An Old French Tale)

1. - One day, in a small town in France, a long time ago, there was a man who was so poor that he only had a morsel of bread for dinner.
2. - He was eating it with a big appetite; (since he was very hungry) while inhaling with delight the smell brought to him by the smoke of a magnificent roast.

3. - The cook who was preparing this roast for the customers of his inn, noticing the poor man, got out of his kitchen and asked him to pay for the smell of his roast.
4. - The man protested saying that he did not cause him any wrong and since he did not touch his roast, he did not owe him anything. However, as neither one wanted to give in, they quarrelled and the passers-by, one by one, stopped to follow the discussion, approving and blaming alternately.
5. - Finally, the village idiot, passing by, offered to dispense justice. First of all, he asked the poor man for a coin, who gave it to him unwillingly, because he thought that the idiot decided to make him pay.
6. - But the idiot took the coin, tossed it up and made it sound on the ground; then, giving it back to the man, said to the cook: "He paid you for the odor of your roast with the sound of his money".

Twenty-fourth lesson

YOU MUST TELEPHONE...

1. - You must telephone Air France to find out if the plane arrives on time. Do you want me to do it for you?
2. - Go ahead, please; you will do me a favor. Let us hope that there is no delay! Generally, it is on time.
3. - Hello! Balzac 99-72? Give me information, please, Operator . . . It is busy? Well, I'll call back . . .
4. - It is free? No, I am holding on . . . Information? Miss, could you tell me at what time the plane from New York arrives? . . . Flight 071?
5. - Sometimes there is a delay . . . You do not think that there is a delay? Very well.
6. - Hello! Do not hang up, Miss... Goodness! Too late! She has hung up. Too bad, it was not that important after all.
7. - What did you want to ask her?
8. - I wanted to know at what time the passengers arrive at Invalides. I do not want you to be disturbed too early or to get tired from waiting too long at the station.
9. - Of course, we can figure out that they will be there one hour after arrival, unless they have a breakdown on the way, which is very unlikely.

10. - I thank you for all your trouble. You are right; it is necessary that we figure on one hour, although the airport is only half an hour away from Paris, since there are customs formalities which also take a lot of time.
11. - The telephone rings. Who may be calling us?
12. - Hello! Speaking. Although we do not know yet the exact time for the arrival of the plane, we can tell you that it is expected between 10 and 11 o'clock.
13. - O.K., we will tell him to give you a call as soon as he arrives. Good-bye and see you soon.
14. - I think that it is time for us to leave. I am happy that we are able to go and meet our friend and give him a hearty welcome.

Twenty-fifth lesson

STAY YOUNG, PRACTICE SPORTS!

1. - Summer is here; at last I will be able to go back to tennis and swimming, says Christian.
2. - But one can also do that in winter, answers Geneviève.
3. - No, I like to play in the open air.
4. - In winter I skate in the park.
5. - Anyhow it is the tennis court which serves as a skating-rink.
6. - I am learning how to waltz and make figure eights on the ice; it is very amusing, I assure you.
7. - I also run races with my friends and I sometimes win.
8. - But in spring, there is no more ice and one does not play tennis yet.
9. - But there remain many sports that one can practice in winter, says Geneviève.
10. - You can practice horseback-riding, football, fencing, roller-skating, yoga, dancing, etc.
11. - You do not lack choices, it seems to me.
12. - Of course, but horseback-riding is expensive in the city. Fencing also is a little beyond my means.
13. - I am not interested in football, roller-skating and dancing.
14. - There remains yoga which is an excellent sport, but I prefer judo.
15. - It is a violent sport, but useful.
16. - You may have to defend yourself in life; there are so many aggressions, crimes, etc.
17. - It is very true. It can also be useful on other occasions.

18. - For example, I know a man — and a good sportsman — who fell into a precipice in the mountains.
19. - He only had a few scratches; another one would have died.
20. - Certainly, but it is especially for our own pleasure that we practice sports, in my opinion.
21. - Long live sports! A sportsman will always remain young!

Twenty-sixth lesson

LUNCH IN THE COUNTRY

1. - 120 an hour! You are crazy: Please slow down.
2. - Do not get so pale, Catherine, nothing at all will happen to us.
3. - The least that can happen to us is to get a ticket for speeding. I warn you that I do not want to have to pay a fine.
4. - Do not complain that way and stop worrying since we have safely arrived. Here is the inn where I invite you for lunch.
5. - What a good idea to have chosen this place in the heart of the country!
6. - Yes, it is lovely, especially in spring when the trees bloom and turn green.
7. - It is certainly not any less attractive in autumn when the leaves turn yellow.
8. - Now let us sit down to eat! I am sure that everybody is as starved as I am.
9. - All right, the country air has given me an appetite; but I am afraid that all this good food will make me fat.
10. - Make an exception for today and do not watch your figure.
11. - Have a look at the menu; you will see that everything looks excellent. It would be a pity not to try everything.
12. - I envy you. You can eat like a wolf without its showing in the least; it even looks as if the more you eat, the thinner you grow.
13. - And the older you get, the lovelier you become; it even looks as if you grow younger.
14. - I have a secret! I do not work much and I practice sports a lot, which prevents me not only from getting fat but also from aging.
15. - You are very right. In the meantime, let us eat before our food gets cold.
16. - After lunch, we will go for a walk in the forest.

17. - I suggest that, when we are through, we cool off first in the clear water of the lake.
18. - A wonderful idea! Let us go and have a swimming race! Who loves me follow me!

Twenty-seventh lesson

MAKING A FEW PURCHASES

1. - Mary, be nice; go and buy me a litre of olive oil, half a pound of grated cheese, two pounds of meal, salt, pepper and wine vinegar at the corner grocery store.
2. - Go also to the bakery and bring 2 "baguettes", one "flute" and 6 cream-puffs for dessert.
3. - Do not forget to set aside in the refrigerator all that could get spoiled in this heat; the temperature must be over 30 degrees C today.
4. - Then take care of the household chores! Monique and I are going out to make a few purchases in the stores.
5. - Daniel, could you drop us off at the Bon Marché on your way to the office?
6. - With pleasure. I'll finish shaving and I'll be at your service.
7. - Let's beat it; it is rather late and the traffic may become impossible.

In the store:

8. - I have no more clothes to wear for the fall. I really must have a few things made before the first cold days appear.
9. - Why wouldn't you buy a ready-made suit? There are lovely ones on the third floor, in the new ready-to-wear collection.
10. - They would probably not carry my size and I prefer to select my own fabric. I think that I will choose a light woolen fabric.
11. - (To a salesman) On which floor is the fabric department, if you please? On the fourth? Thank you.
12. - Do you think that 4m50 will be enough to make a dress for me? Of course it depends on the style.
13. - Remind me to go on to the ground-floor to buy snails at the food department.
14. - Speaking about snails, Monique said, Madeleine told me a rather humorous story.
15. - One day, after a shower, there were a lot of snails in her garden.

16. - She gathered them thinking that she would save by preparing them herself.
17. - Following the recipe in her cook-book, she put them in salted water and left them on the sink.
18. - The next day, there was a snail on the window-pane; another one was taking a walk on the table; a third one, more intelligent, was heading for the garden; a fourth one... Well, they were everywhere!
19. - Since that time, she does as we do: she buys pre-cooked snails.

Twenty-eighth lesson

WE MISSED YOU A LOT

1. - Why didn't you come to our cocktail party yesterday?
2. - Because I was developing a sore throat.
3. - I hate being sick, call for the doctor, take medicine, stay in bed, etc.
4. - I know what I am speaking about, since last year, I had a sore throat which developed into pneumonia.
5. - So, now, as soon as I have the slightest symptom, I take care of myself energetically.
6. - I understand that you may fear diseases, but we missed you a lot yesterday.
7. - It is a pity that you were not able to join us.
8. - Although we sent a limited number of invitations, there were a lot of people.
9. - We had invited those friends from St. Tropez whom you wanted to meet.
10. - There were several artists; the ones who paint so well and the ones who play the guitar and sing while accompanying themselves.
11. - The one I liked best was a blond-haired singer who changed his voice at will.
12. - He imitated a woman's voice to perfection.
13. - Guy preferred a small dancer with dyed hair and languorous eyes who pretended to like him.
14. - There also occurred an incident which amused us very much:
15. - At a quarter to eleven, the lights went out.
16. - At first we thought that it was a nice joke, a trick that was played upon us.
17. - But it was simply a power failure.

18. - It was necessary to look for candles, which, as everybody knows, create a particularly congenial atmosphere.
19. - What a pity that this untimely sore throat stopped me from being with you!

Twenty-ninth lesson

LET US CELEBRATE THE REPUBLIC

The pessimist

1. - I will never be able to sleep with their music.

The optimist

2. - Well! If you cannot sleep, why don't you come and dance with us in the street?
3. - I do not feel like it at all.
4. - Why not celebrate the 14th of July like everybody? Even foreigners take part in the celebration: the English, the Germans, the Americans. the Spaniards, the Italians, the Austrians, etc.
5. - I hate crowds and noise.
6. - I like to see the parade in the morning, the fireworks in the evening and to dance under the lamplights. Besides, I feel a secret satisfaction being among those who block the traffic.
7. - I am among those who are furious not being able to drive and sleep comfortably.
8. - I am sincerely sorry for you. Then, take advantage of these holidays to go to the country for a bit of air. As far as I am concerned, I am happy to celebrate the Republic.
9. - The Republic! Which one? First of all, it is not the Republic which is celebrated on the 14th of July, it is the day when that dear old Bastille was taken, and I regret it very much. I do not celebrate the destruction of historical monuments.
10. - But we are thinking of the royal prison.
11. - First of all, the Bastille was built to protect Paris... But it is true that it was used as a prison at an early stage.
12. - It is the removal of this prison which we are celebrating to-day...
13. - ... which was quickly replaced by Santé prison.
14. - Therefore, let us try to share the enthusiasm of our ancestors when they took the Bastille. On July 14th, 1789, they were struggling to obtain liberty and equality.
15. - It is a noble ideal which is still ours as it is commemorated on our coins: LIBERTY - EQUALITY - FRATERNITY.

Thirtieth lesson

WHAT PROMPTED PAUL TO LEARN FRENCH

1. - All Paul's friends were spending their vacation in France; therefore, he wanted to do the same.
2. - He went to Air France and bought a round-trip ticket to Paris.
3. - "But you cannot speak one word of French", his friends said.
4. - "It does not matter", he said, "everybody speaks English in France".
5. - As a matter-of-fact, the stewardesses in the plane could speak English very well and their slight accent only added to their charm. Paul was delighted.
6. - However, once he had arrived in Paris, the number of people with whom he could converse became rarer and rarer.
7. - So the purchase of a dictionary became imperative. He regretted that he had not attended a few French classes before he left as his friends had recommended.
8. - He had a few funny adventures because of his ignorance.
9. - On a hot day in August, he entered a café with the intention of drinking cold beer.
10. - When the waiter came to take his order, Paul asked with confidence: "One beer, if you please".
11. - The waiter thought he had understood and brought Paul a Byrrh aperitif, which surprised him very much.
12. - Realizing that he had expressed himself incorrectly, he tried out another sentence in a slightly less confident manner: "A butter ice cream".
13. - That time, the waiter did not understand anything and thought it easier to express himself by gestures. Successively he showed butter, ice cream... everything except beer, alas!
14. - Fortunately, Paul was seated next to a customer who was drinking a glass of beer. He indicated the drink to the waiter and was at last able to quench his thirst.
15. - But after this adventure, which was not the only one, he decided to attend French classes as soon as he returned and now he gets along beautifully in French.

TRADUCTION DES EXERCICES

Exercice G—Page 61

1. - Il préfère le café ; moi aussi. 2. - N.Y. est la plus grande ville **des** Etats-Unis. 3. - Il y a quatre pièces dans mon appartement. 4. - J'ai faim. 5. - Quelle heure est-il ? Il est quatre heures et demie. 6. - Quel âge avez-vous ? J'ai vingt ans. 7. - Ils ne travaillent jamais le dimanche. 8. - Le pain est bon, le chocolat est meilleur. 9. - Il est content **de** sa chambre. 10. - Bordeaux n'est pas la capitale de la France ; Lille non plus. 11. - L'opéra est à votre droite, pas à votre gauche. 12. - **Pourriez-vous me faire la monnaie de cent francs?** 13. - Quelle est votre adresse ? 14. - Le train est **bon marché,** mais l'autobus est **meilleur marché.** 15. - Je ne bois que de l'eau. 16. - Est-ce que Paris est grand ? Oui, mais N.Y. est plus grand. 17. - Est-ce que Lyon est la capitale de la France ? Non. 18. - Avez-vous faim ? Non, je n'ai pas faim.

Exercice H—Page 64

1. - Où habitez-vous ? 2. - J'habite à N.Y., mais je passe **mes vacances** en France. 3. - Allez-vous en France en bateau ou en avion ? 4. - Je préfère voyager en avion. 5. - Pourquoi préférez-vous l'avion ? 6. - Je préfère **l'**avion parce qu'il est plus rapide ; il est aussi meilleur marché. 7. - Moi aussi, je préfère l'avion. Je ne prends jamais **le** bateau. 8. - A quelle heure prenez-vous l'avion ? 9. - Je prends l'avion à midi et demi, mais je prends l'autobus à onze heures un quart. 10. - Avez-vous un bon hôtel à Paris ? 11. - Oui, je suis content(e) **de** mon hôtel. 12. - Combien coûte une chambre avec salle de bains dans votre hôtel ? 13. - Trente-cinq francs par jour, plus cinq francs pour le petit déjeuner. 14. - Combien de chambres y a-t-il dans votre hôtel, savez-vous ? 15. - Je ne sais pas. 16. - Pourquoi aimez-vous passer **vos vacances** à Paris ? Parce qu'il y a beaucoup de théâtres et de cafés. 17. - Est-ce que Paris est grand ? Oui, mais N.Y. est plus grand. 18. - Est-ce que Lyon est la capitale de la France ? Non. 19. - Avez-vous faim ? Non.

Exercice B—Page 73

1. - A qui sont ces gants ? Sont-ils à vous ? 2. - Ils ne sont pas à moi, ils sont à lui. 3. - J'aime le vin, lui aussi. 4. - Je n'aime pas le poisson ; eux non plus. 5. - A qui est ce livre ? Est-il à elle ou à lui ? 6. - J'ai **du** vin pour lui et **du** chocolat pour elle. 7. - Cet exercice est difficile pour moi et pour eux. 8. - Je vais au restaurant avec eux. 9. - Je suis en retard. Elle aussi, et vous aussi. 10. - Il n'est pas en retard ; moi non plus.

Exercice C—Page 91

1. - Ce livre est à moi. 2. - J'aime beaucoup la musique; lui aussi. 3. - Il ne prend jamais le métro; moi non plus. 4. - Elle a un manteau vert et un chapeau blanc. 5. - Son fils est un charmant jeune homme. 6. - Il lui apporte le chèque (ou l'addition). 7. - Je lui ai fait un cadeau. 8. - Elle va prendre son petit déjeuner. 9. - Comment s'appelle-t-il? 10. - J'aime mon livre (de) français. 11. - Je m'en vais à midi (minuit) et demi. 12. - Je me réveille tôt (de bonne heure).

Exercice D—Page 102

1. - Il lui a donné un livre. 2. - Elle ira en France l'année prochaine. 3. - Je m'habille rapidement (vite). 4. - Ils boivent leur café avec du lait. 5. - Nous sommes allées en France il y a un an. 6. - Vous êtes arrivé à l'heure hier. 7. - Son frère l'a emmenée au théâtre. 8. - Je n'ai rien bu ce matin. 9. - Le garçon lui a apporté l'addition. 10. - Je lui ai téléphoné la semaine dernière. 11. - Nous nous en allons (nous partons) à huit heures et demie. 12. - Je n'apprendrai jamais le chinois, c'est trop difficile.

Exercice C—Page 107

1. - Il y a deux heures que le bateau est arrivé. 2 .- Il y a une semaine que je suis malade (Je suis malade depuis une semaine). 3. - Il y a longtemps que nous habitons (à) Paris. 4. - Je lui ferai un cadeau pour

ble de lui écrire. 6. - Vous êtes-vous bien amusé hier? 7. - Vous êtes-vous bien reposé? 8. - S'est-elle abonnée à ce journal (magazine)? 9. - Je suis sorti parce que j'avais mal à la tête. 10. - Elle a eu beaucoup de travail. 11. - Avez-vous lu ce livre? 12. - Elle a fait un tas de choses. 13. - Vous n'avez pas compris. 14. - Il n'a pas soif. 15. - Elle ne mange jamais de pain. 16. - Ils ne boivent jamais de bière.

Exercice D—Page 152

1. - Nous n'avons pas bu de vin. 2. - Il n'est pas sorti tôt (de bonne heure). 3. - Je ne l'ai pas vu au théâtre. 4. - Elle n'a pas pu accepter mon invitation. 5. - N'avez-vous pas lu le journal ce matin? 6. - Je n'ai pas voulu aller les voir. 7. - Je ne lui ai pas téléphoné hier. 8. - Je n'ai pas eu le temps de me reposer. 9. - A-t-il su sa leçon? 10. - Où avez-vous mis ma valise? 11. - Où sont-ils allés? 12. - Elle est venue sans chapeau.

Exercice F—Page 156

1. - Je viens de voir votre mère. 2. - Ils viennent d'arriver. 3. - Nous venons de nous abonner à un journal français. 4. - Vous venez de dîner. 5. - Il vient de se laver les mains. 6. - Je viens de lui téléphoner. 7. - Elle lirait beaucoup de livres si elle en avait le temps. 8. - Iriez-vous en France si vous le pouviez ? 9. - Qu'est-ce qui arriverait si nous ne pouvions pas travailler ? 10. - Ils aimeraient voyager beaucoup. 11. - Ils me tiennent au courant. 12. - Tient-il toujours sa promesse ?

Exercice E—Page 166

1. - On m'a dit de venir. 2. - On l'a envoyé dans une bonne école. 3. - On répare mon auto. 4. - On gâte cet enfant. 5. - On m'a conseillé de rester chez moi (à la maison). 6. - Les animaux sont bien nourris. 7. - On me l'a donné en bon état. 8. - On vend ces livres un dollar. 9. - On m'a donné un très bon livre. 10. - On m'a demandé de faire une conférence. 11. - On dit que c'est un bon docteur. 12. - On vous demande au téléphone.

Exercice C—Page 173

1. - J'ai tort, je le reconnais. 2. - Pourquoi tant de bruit ? Le comprenez-vous ? 3. - Il neige ? 4. - C'est facile, il peut le faire tout seul. 5. - Il est tard, allons-nous-en. 6. - J'aime ce journal, je vais m'y abonner. 7. - Son livre n'est pas fini, il y travaille. 8. Y croyez-vous ? 9. - Il aime la musique, il s'y intéresse beaucoup. 10. - Il fait très chaud en été. 11. - J'ai un examen à passer à la fin de l'année, je m'y prépare. 12. - Elle ne veut pas que son fils étudie la musique, elle s'y oppose.

Exercice H—Page 194

1. - Il sait que vous allez en France. 2. - Je suis content que vous parliez anglais. 3. - Il faut que j'aille travailler. 4. - Elle pense qu'il pourra revenir. 5. - Vous ne pouvez pas ne pas comprendre mes raisons. 6. - Je crois qu'il a vu la pièce. 7. - Il veut que vous fassiez ce travail rapidement. 8. - Il lui donne de l'argent pour qu'elle puisse étudier. 9. - Il veut que je reste avec lui. 10. - Paris est la plus vieille ville que je connaisse.

Exercice B—Page 203

1. - Ils voyageront quand ils auront assez d'argent. 2. - Quand ils arriveront, dites-leur de se reposer. 3. - Je rentrerai dès que le travail sera fait. 4. - Quand je serai à Paris, je visiterai le Louvre. 5. - En été, dès que le soleil brille, il fait chaud. 6. - Il vous donnera le livre dès qu'il l'aura reçu. 7. - Je mettrai ce manteau quand il fera plus froid. 8. - Vous aurez le temps de vous reposer quand vous aurez une bonne. 9. - Nous achèterons le livre dès qu'il paraîtra. 10. - Nous ferons l'exercice dès que nous le pourrons. 11. - Quand je suis fatigué, je me repose. 12. - Quand il était petit garçon, il regardait la télévision tous les soirs.

IDIOMATIC SENTENCES TO BE MEMORIZED

p. 72 - ex. A: **Non plus** = Neither
p. 16 - No. 6: **Combien coûte** = How much is
pp. 16, 21, 23: **ne ... que** = Only
pp. 36 - ex. B Nos. 1, 2, 3 — p. 81 - ex. E No. 2 — p. 118 - ex. B No. 1 — p. 124 - ex. A: No. 3 — **Pour** Versailles, Paris ... = **to** V., P. ...
p. 38 - No. 18: content **de** = **with**
p. 40: **Bon marché** = cheap, **meilleur marché** = **cheaper**
p. 41: **La circulation** = also "traffic"
p. 51 - No. 8: **faire la monnaie de** = give change **for**
p. 74 - ex. C - No. 1: **Prendre** une décision = **Make** a decision
p. 80 - ex. D: **Il y a ... que** = for (time), ago.
p. 82 - No. 9—p. 158 - No. 13: **Un coup de fil** = phone call
p. 84 - ex. B - No. 3 : **Je suis arrivé à comprendre** = I finally understood.
p. 99 - No. 6: **se rendre compte** = to realize
p. 112 - No. 20: **Pour une bouchée de pain** = for a song
p. 119 - ex. B No. 14: Mieux **vaut** tard que jamais = Better late than never
p. 123 - No. 17: **Cela ne vaut pas la peine** = It is not worth while
p. 126 - ex. C No. 11: **cela en vaut la peine** = It is worth while
p. 143 - Nos. 9 & 10: **Tiens! — Chut!** (exclamations) = Look! — Silence!
p. 157 - No. 10: **Pas mal de** = Quite a lot of
p. 160 - ex. A No. 4: **se faire à** = To get used to
p. 166 - ex. D: **Avoir beau** = although, in spite of, no matter what
p. 197 - ex. A No. 1: **De bon coeur** = willingly

FAUX AMIS = FALSE COGNATES:

p. 11 - No. 3: **Magasins** = Stores
p. 16 - No. 21: **Le raisin — La prune** = Grapes, plum
p. 19: **La bibliothèque** = Library — **La limonade** = Soda
p. 27 - Nos. 6 & 8: **La côtelette** = chop
p. 52 - ex. A Nos. 5, 6 & 9: **La chance** = luck — La monnaie = change — **La nouvelle** = a piece of news, a short story
p. 63 - ex. D: **La figure** = face — **Une injure** = offense

DIFFERENCES ORTHOGRAPHIQUES — (Differences in spelling)

La correspondance, le mariage, le bagage, la littérature, un a**pp**arte**ment**, con**f**ortable, la danse, le co**mité**, la pron**on**ciation, le lilas, **Ouest**.